JN023263

「現代」と「その後」の社会

現代社会の歪みを問い直し、民主主義の成熟で導かれる社会を模索する

東道利廣
Higashimichi Toshihiro

風詠社

30の疑問から見える現代社会の歪み

①あまりにもひどい日本の政治、変わらないのはなぜ？
②日本で賃金が下がり続けているのは本当？
③不況はなぜ起きる？
④26人の大富豪の資産が38億人分と同じ？
⑤アメリカで金持ちだけの市ができている？
⑥日本は税金が安い？　なのに、なぜ不満が？
⑦日本では大金持ちほど税金が安い？
⑧課税の累進性が必要な本質的理由は？
⑨働いても豊かになれないのはなぜ？
⑩輸出大企業には消費税が還付され、儲けている？
⑪賃金は労働の対価ではない？　では何？
⑫8時間労働制を提唱したのは誰？　最初に実現した国は？
⑬搾取が戦争の原因になる？
⑭9歳の子どもで1日9時間労働、いつどこの話？
⑮日本は資本主義、それとも社会主義（ゴルバチョフ談）？

⑯2%インフレが目標にされるのはおかしい？　今の100万円、50年前はいくら？
⑰国鉄がJR（民営）になり、喜んだのは誰？
⑱東京電力、破産状態なのになぜ潰れない？
⑲ソビエトは社会主義ではなかった？なぜ崩壊した？
⑳冷戦時代は資本主義と社会主義の対立ではなかった？
㉑アメリカで銃乱射事件が1日1件起きている？
㉒「衆議院の解散権が首相にある」は憲法違反？
㉓「三権分立・司法の独立」は虚構？
㉔「政府が右と言えば右（NHK会長）」　政府の広報担当？
㉕自衛隊の憲法判断、違憲の判例が一つある？　それ以外に判例は無い？
㉖深刻な移民問題の本質は？　ホンジュラスからなぜ移民キャラバン隊が？
㉗国民投票で直接法律を作っている国は多い？
㉘派遣労働はそもそも労働基準法違反？
㉙『鉛筆（国民投票）で独裁者を追放』したのはどこの国？
㉚コロナウイルス流行が警告していることは？　国民への給付金（10万円）は愚策？

「現代」と「その後」の社会◆目次

はじめに

あなたはどんな社会を望みますか

もし、あなたが、
人々が幸せになることに喜びを感じる人ならば
自分の力を自分のためだけでなく、他人のためにも使いたいと考える人ならば
不運から苦しい目に遭っている人の姿に心を痛める人ならば
懸命に働きながらも貧困にさらされ、酷使され、過労で死ぬ人さえ出ている一方で
株式の配当金だけで100億円以上の年収がある資産家がいる日本の現実
たった26人の大富豪の富が、貧しい38億人の富と同じである世界の現実に
疑問を感じ、心を痛める人ならば
労働者を雇う立場にあり、良い品物を供給することで社会に貢献したいと考え
また、そのために働いてくれた労働者に十分報いたいと考える人ならば
国民の声が政治に反映されていないことに憤りを感じ
形骸化した民主主義に疑問を持つ人ならば

自分に巣食う利己的な心に正面から向き合う誠実さを持つ人ならば
あなたの疑問が解消され、望みが叶う社会について考え、実現に一歩踏み出そう
考えながら歩み、歩みながら考えよう

集団で生きてきた生物には、「個と集団の矛盾」がつきまとう
集団として大きな利益を得ることと、集団の中で自分の分け前を増やすこと
両方求めるからである
集団で狩りをする肉食獣の群れは、狩りの成功のため集団を大切にする
ただ、獲物をめぐって集団内部で奪い合うこともある
集団で生きるすべての生き物は、このような「個と集団の矛盾」を様々に解決している
サバンナでは、ブチハイエナが、ライオンをもしのぐ最強集団であると言われている
集団力の発揮に優れているからである
ブチハイエナは、争いによらない集団内の秩序維持の決まりを持ち
野生動物では珍しく、怪我などによる障がいを持つ個体も尊重される
また、群れ同士の獲物の奪い合いでも、争いを避けるルールがあるようである
「みんなは一人のために、一人はみんなのために」

個人を大切にしながら、集団の力を最大限に発揮する考え方である
一千人の集団の力は、個人の一千倍よりもはるかに大きくなる
集団に必要な決まりは、平等なすべての集団の構成員が決める
これこそが民主主義である
集団力の発揮で生き延びてきたホモサピエンス
私たちの未来は民主主義の進化にかかっている
目の前では民主主義の退化、歴史の逆流が目まぐるしい
こんな時代こそ、望むべき未来を考えよう
民主主義の成熟によって導かれる社会
その社会ではさらに豊かな民主主義が育つ
「民主主義で育ち、民主主義を育てる社会」
「民主主義を育て、民主主義で育つ社会」
私たちの望むのはそんな社会である

未来社会の設計図があるわけではない
これから、私たちが創り上げていくものである
個人を尊重するが、利己的個人主義ではなく

社会のまとまりを尊重するが、個人を抑圧する全体主義ではなく
個人が全体の決まりを作る主権者として尊重される
他人の物を奪わないが、生産能力に乏しい個人もみんなの力で支える
相互扶助の考え方もその中で育っていく
全員の意見が尊重され、その中で採用されるのはたとえ一つの意見であっても
変化の中で議論と採択を繰り返し、実証に基づいた試行錯誤を大切にする
未来社会の姿はそのようにして浮かび上がってくる

試行錯誤こそ、ホモサピエンスの生命力の源である
失敗を何度も繰り返し、何回も挑戦し直すことで私たちは生き延びてきた
一度の失敗もなく難題を解決できることなどあり得ない
構成員全員の議論と実証によって、試行錯誤を可能にする手段こそ大事である
それこそが民主主義の神髄である

支配関係を力によってひっくり返す〝革命〟によって誕生した「20世紀社会主義」は
圧政を別の圧政に置き換えて終わった
民主主義を育てるという最重要課題を捨て去り

搾取の廃止という、社会主義にとっての本質的課題も反故にした
「社会主義の看板をつけた社会主義に最も遠い社会」が、今も怪奇な姿を残している
「労働者解放」「搾取廃止」という歴史的課題を掲げて誕生した「20世紀社会主義」
その失敗は、人類の試行錯誤に大きな反省材料を提供している
「8時間労働制」はソビエトの大きな功績であり遺産である
「働きに応じた報酬（搾取の廃止）」の目標は、反故にしたのが間違いであった
数々の間違いから崩壊してしまった「20世紀社会主義」ではあるが
日本でも、労働運動や社会主義運動によって勝ち取られた制度によって
勤労者が守られている事実は厳然と残っている
「20世紀社会主義」が掲げた目標は、「20世紀社会主義」では早々と反故にされたが
皮肉にも、資本主義社会の中で育っている

今、他人の労働の成果を奪うことで利益をかき集めている人々は
少数でありながら大きな力を持って多数者を抑え込んでいる
少人数で莫大な富を独占している
莫大な富を手にした人は、さらに大きな富を得ようとしている
満足することを知らずに富は富を求める

富の魔力は、知性に充ちた人をも虜にし
他人の富を奪い合うことから争いが起きる

私たちの望む未来社会は、第一に「奪わない社会」である
そこから、争わない、平等で個人が尊重され、安らぎに充ちた社会へと続く
「みんなは一人のために、一人はみんなのために」
私たちの望むのは、そんな社会である
民主主義の道でたどり着く社会である

私たちはどんな時代に生きているのか

この本において、私は「現代」という時代区分を、一般的には「近現代」と言われている区分と同じ意味で使っている。近代（modern の訳語）と現代（第二次世界大戦後）は、この本の議論においては、区別する必要がないと考えたからである。

近代以前の時代は封建時代と呼ばれており、現代は基本的に資本主義の時代であるとされている。資本主義後の時代が何と呼ばれるのか、それは後世の人々が決めることであるとしても、資本主義は必ずいつかは終わり、別の社会制度へと変わる。

時代区分については、例えば、一般には鎌倉幕府の成立を以って封建時代の始まりとされているが、封建制度は平安時代の末期にすでに始められており、また、完成は江戸幕府の成立時であるとも言われている。とすれば、数百年の時代は、封建制度の開始から完成への移行の時代であったということになる。また、封建時代から資本主義時代への変化においても同じことが言える。封建制度の中で、資本主義が芽を出し、育ち、封建時代後の社会を用意した。このように、古い時代と新しい時代の制度が混在し、新旧のせめぎ合いの中で変化を繰り返す、これが現実の社会の変化である。

この本のテーマは、現代社会を、資本主義制度と資本主義後の社会制度のせめぎ合いの場ととらえることである。基本的には資本主義社会とされてはいるが、現代社会は多くの資本主義に対抗する考え方から作られた制度を持ち、もはや純然たる資本主義社会ではない。資本主義の後を継ぐべき社会の制度が、芽を出し、育ち、混在している。〝現代〟の中で起きている〝過去〟と〝未来〟のせめぎ合いの全体像を正しくとらえることは、より良い未来社会の実現にとって不可欠の課題である。微力ながら、この課題のために役に立つことを願い、この本を出版することとした。

このテーマからすれば、産業革命から数十年後、1833年のイギリスにおける、初めての実効性のある工場法の成立は、画期的な意義を持っている。資本主義から次の時代に移行する最初の兆しであると評価できるからである。次のような内容の法律であった。

・18歳未満の労働時間を、1日12時間まで、週69時間までとする
・9歳未満の児童の雇用を禁止する
・13歳未満の児童の労働時間を、1日9時間まで、週48時間までとする
・18歳未満の夜間労働を禁止する

この法律では、例えば、9歳の児童で1日9時間労働ということになり、現在の状況と

比べてあまりにも過酷な労働条件である。しかし、それでも、法律という形で社会変革に一歩を踏み出した記念すべき出来事であった。この法律制定までにかかった年月の長さと努力の大きさは、当時の労働者の置かれている状況の厳しさを示しており、また、社会制度の変革という事業の困難さと同時にその意義深さを物語っている。

工場法制定までは労働者は全くの無権利で、労働条件・賃金等について資本家の言いなりになるしかなかった。産業革命によって熟練労働の必要が減る一方で、工場での単純労働が大量に必要とされ、児童までもが、大人になるための教育の機会を奪われ、工場労働の担い手とされていた。大人では1日16時間労働は珍しいことではなく、過労と住環境の不衛生さから、当時のイギリスの平均寿命は20歳に満たなかったとさえ言われている。このような社会が赤裸々な資本主義社会であり、マルクスが『資本論』で分析した「賃金奴隷制（資本主義）社会」である。

工場法の後、イギリスで法律改正が進み、フランスでも同様の動きが起き、１９１７年に世界で初めてソビエト連邦が国の法律で8時間労働を定め、１９１９年に国際労働機関（ＩＬＯ）第1回総会で「1日8時間・週48時間（国際労働条約1号）」が国際的労働基準として定められるという歴史の流れが作られた。日本では、戦後１９４７年の労働基準法で8時間労働が基準とされた。

現在、労働者は、完全に資本家の意のままになる無権利な存在ではない。実効性については議論を残しながらも、労働条件について団体交渉権・争議権などが法に基づいた制度として認められ、また、金額については問題を残しながら、最低賃金制度が存在している。労働組合活動は、最初は、どの国でも犯罪行為とされていたが、長年の運動の成果、先人の努力によって当然の権利として認められるようになった。労働者の多くは、十分とは言えないにしても、衣食住以外の支出が可能な余裕を持てるようになっている。

しかしその一方で、資本主義の本質的特徴である労働の搾取はなくなってはいない。経済的な格差の拡大が大きな問題となっている。派遣労働など、より効率的に搾取するための制度も作られ、「ブラック企業」が話題となり、不名誉なことに、「カローシ（過労死）」という言葉を日本から世界に発信する羽目になってしまっている。また、近年では「外国人技能実習制度」や「外国人留学制度」を悪用し、実質的には労働基準法無視の状態が一部で生まれている。時代をさかのぼったような不当な扱いを受け、失踪する「実習生労働者」は年々増え続けている（２０１７年で７０００人以上）。都合よく外国人を利用し、ひいては、日本人労働者の賃金を抑えるためにも利用されている。

19世紀初頭、各種社会主義思想の隆盛の背景には、当時の労働者の惨状がある。イギリスの企業家ロバート・オウエンは、労働者の救済に生涯をかけた思想家・実践家の一人であった。労働者救済と理想郷建設に挑戦し続けた彼は、『資本論』の編集者であるエンゲルスによって「空想的社会主義者」の一人として紹介されている（フリードリヒ・エンゲルス『空想から科学へ』より）。彼の理想郷実現計画はことごとく失敗に終わり、また、彼の社会変革の思想には科学的な裏付けが欠けているとして、〝空想的〟という修飾語が付けられた。もちろん、エンゲルスは、オウエンを揶揄する修飾語として〝空想的〟としているわけではない。

私は、彼の実践の数々は、讃えきれないほど大きい価値を持っていると考えている。また、社会変化の法則を科学的にとらえるということの意味を、改めて考え直さなければならなくなっている。社会変化に科学的な根拠があるとしても、あらかじめ決められた結論にたどり着くように未来社会が実現するのではない限り、そもそも未来社会を予言することが科学的ではないということになる。科学的とは「現実社会の矛盾の原因を分析し、矛盾を解消する合理的な制度を創出する」という、創造的姿勢のことである。

とすれば、目の前の労働者の惨状を正面からとらえ、救済したいというオウエンの姿勢は、時代的制約から合理的な解決策にたどり着けなくても、先駆的挑戦として大いに評価されるべきである。彼のような姿勢がなければ、科学の入り口にさえ立つことはできないだろう。科学的であるということも人道的博愛的精神があってこそのものである。

博愛精神に満ちたオウエンは、１８３３年の工場法に先立つ１８１０年に、自らの経営する工場で、他の企業家に先駆けて10時間労働制を実施し、工場内に児童の教育のための施設を作った。工場と教育施設を合体させた共同体作りの成功の経験、それが空想的と評されている彼の理想郷計画の原点であった。数度にわたる理想郷建設計画は成功することはなかったが、彼の空想と実践から様々な人類の遺産が生まれた。彼の失敗の検証から、世界中に「生活協同組合CO・OP」が生まれた。彼の永年の努力で、1819年に「9歳未満の児童労働の禁止、16歳以下の少年の1日12時間労働」を決めた紡績工場法が成立した。残念ながら、この法律には監督官制度がなく骨抜きとされたが、その失敗が1833年の工場法につながった。また1817年には、「1日の3分の1を休息に、3分の1を自分のために、3分の1を労働に」と、世界で初めて8時間労働制を目標に掲げた。それが、100年以上の年月を経て労働時間の国際基準となった。彼の空想は、世界中で多くの後継者によって発展的に結実した。どのような科学をもってしても、未来社会の予想は容易ではない。とすれば、未来を空想することの意義、あるべき未来を思い描くことの意義を、オウエンは私たちに教えてくれているようにも思える。

ホモサピエンスは、厳しい生存競争を勝ち抜く戦略として集団の力を活かす道を選び、そのために作ったのが社会である。「個々のメンバーを守ってくれるための集団（社会）であればこそ、個々のメンバーは社会（集団）を大切にしよう」というのが、社会と個人に関するホモサピエンス本来の関係である。「みんなは一人のために、一人はみんなのために」である。社会（集団）内部での支配関係や搾取による貧富の差は、社会の本来的目標から逸脱するものである。逸脱を正し、社会本来の目標に立ち戻ろうというのが、「社会主義」の原点でなければならない。

旧ソビエト連邦最後の最高指導者ゴルバチョフが訪日（１９９１年）の際に「日本は最も成功した社会主義国」と評したのは有名な話である。これは誤った評価であると言わなければならないし、「最も成功している」という修飾はとんでもない。ただ、社会保障制度や労働者の権利を守る法律は、資本主義に由来するものではなく、労働運動や社会主義運動の結果である。しかし、日本の歴代保守政権は、このような歴史的成果を逆流させようとしている。新旧のせめぎ合いの具体的場面を、私たちは常に目の当たりにしている。

搾取という資本主義の本質的特徴を残しながらも、資本主義に対抗する運動の成果も現代に生かされているし、また、資本主義にとって不可避の周期的不況・恐慌を表面化させないため、国家機能を利用した財政・金融制度が用意されている。このような現代社会を、マルクスが資本論で論じた純然たる資本主義国とみなすには無理がある。

マルクスは、高度に発展した資本主義社会はその矛盾によって社会主義に発展するのが歴史の必然であると説き、社会主義革命を呼びかけた。しかし、高度に発展した資本主義国でのその兆候は見受けられない。

世界戦争という矛盾が集積した情勢の下、未発達な資本主義から一気に社会主義を目指した「労働者の国ソビエト連邦」が誕生した（1917年）。そして、第二次世界大戦中に、植民地からの独立運動が社会主義運動と合流し、社会主義を目指す国々が誕生した。しかし、これらの国々の多くは、共通の弱点を持っていた。国民の識字率も低く、民主主義の発達段階が低いこと、また、戦争の最中に熾烈な戦いを経て国が誕生し、外国からの干渉に対抗して国を維持するためにも激しい戦いが必要であったということである。このような国では、しばしば戦闘力がすべてを決める。社会改革に最も大切な民主主義が育つ機会がなかった。そして、社会主義を目指したはずの多くの国は、国の誕生時点からすぐさま目標からの逸脱を始め、資本主義以上に国民抑圧と搾取のひどい国、目指した社会主義に最も遠いと評価せざるを得ない国へと変質していった。

第二次世界大戦後の数十年は「冷戦時代」と呼ばれ、資本主義陣営と社会主義陣営の対立の時代であったと評価されてきた。私自身もそのような認識であった。しかし、歴史的事実が次々と明らかにされた今、そのような認識は誤りであったと認めざるを得ない。

第Ⅶ章で議論するように、ソビエト連邦は、搾取を廃止するという社会主義の本質的課題を早々と投げ捨て、第二次世界大戦前には、資本主義列強と同程度に凶暴な、他国を抑圧・支配する帝国主義国家へ変貌を済ませていた。ソビエト連邦は、ナチスドイツと密約を結び、ヨーロッパの分割支配をもくろみ、周辺国を支配下に置くことを目指した。帝国主義諸国の世界分割戦である世界大戦の中に割り込み、資本主義国ではないが一つの帝国主義国として、奪い合いの一翼を担っていた。

帝国主義者（抑圧・支配・収奪者）たちの三つ巴の闘いの中で、ドイツ・日本・イタリアを中心とする陣営が敗れた。その後の、アメリカを中心とする帝国主義者陣営とソビエトを中心とする帝国主義者陣営の覇権争い、それが冷戦という時代の本質である。

「搾取のない労働者の国ソビエト」という看板を信用し、ソビエトを頼りとした植民地からの独立運動や社会主義運動は、とてつもない大きな犠牲を払うこととなった。一つの帝国主義者から独立するために、もう一つの、ある意味では前よりも酷い帝国主義者の支配下に置かれることとなったのである。

ソビエトは崩壊し、中華人民共和国は、国家主導のとんでもない国民抑圧と搾取の国として存在している。今でも「ソビエトは社会主義国であった」、「中国は社会主義国である」という認識（誤解）は広く存在している。歴史的経過から、そのような誤解も無理からぬことではある。しかし、やはり誤解は誤解である。ソビエトも中国も、誕生時点においてすでに社会主義からの変質の芽を持ち、すぐに社会主義とは言えなくなった。ソビエトや中国を表現するために「社会主義」という言葉を使うならば、私たちはもう「社会主義」という言葉を捨てなければならないほどに、言葉が汚されてしまっている。

このような現実の歴史から、資本主義から社会主義への必然的移行というマルクスの大局的歴史観は誤謬であったとする見解が広がっている。しかし、私は、次のような見方も可能であると考えている。

今、資本主義国と言われている多くの国は、純然たる資本主義国ではない。資本主義の矛盾を解決するため、緩和するため、カムフラージュするため、資本主義国で、資本主義に対抗する多くの制度が取り入れられている。そのことによって資本主義の矛盾が爆発的に噴出することを抑止し、劇的な社会変革を抑止している。しかし、根本的で完全な変革が行われないままになっており、問題はくすぶり続け、八方ふさがりとなり、完全な矛盾解決を促し続けている。つまり、資本主義社会から「資本主義後の新しい社会」への移行は、社会全体を一瞬にしてひっくり返すような急激な変化ではなく、資本主義と言われる国の中で、古い制度と混在し、せめぎ合いをしながら、着々と進んでいるのである。その進行度合いについて、私はゴルバチョフの評価とは反対に、日本は社会主義化が遅れていると考えている。ヨーロッパ諸国、特に北欧諸国と比べれば、日本ははるかに遅れている。

ともかく、このような「資本主義社会の中で資本主義後の社会の芽が育っている」という考え方に立ち、現代社会の様々な問題点を議論し、望ましい社会について議論したい。Ⅰ章からⅦ章まで、税金の制度、賃金制度の考え方、企業活動の在り方、環境問題の考え方、民主主義の成熟、法治主義を崩している日本特有の法体系の歪み、歴史の教訓としての「20世紀社会主義の失敗」について議論をすることとした。

当初の記述計画では、すべての議論に先駆けて、冒頭に「特別章　架空の、純然たる資本主義社会の話（『資本論』で描かれる社会）」を設けるつもりであった。資本論のエッセンス中のエッセンスである「労働の搾取の仕組みと、それが必然的に不況を生み出す」という認識は、現代社会を理解する上で極めて重要であると考えたからである。哲学者マルクスの『資本論』の抽象的な記述はあまりにも難解すぎるので、マルクスほど精密でなくてもエッセンス中のエッセンスを伝えるだけならば、マルクスとは全く異なった形で具体的に簡略化した記述ができると、挑んでみた。しかし、目指した記述になったのか自信は持てない。それで、多くの読者が冒頭の章で読む意欲を失ってしまうことを懸念し、最終の章に回すことにした。特別章は、Ⅰ章からⅦ章までの内容をより深く考えていただくためのものである。読みづらさを我慢して読んでいただければ幸いである。

現在は、マルクスの時代よりはるかに複雑になっている。グローバル化が進み、個々の労働者にとって、自分の労働を搾取しているのは一体誰なのか、ますますわかりにくくなっている。自分の雇用主は搾取者なのか、搾取者は雇用主だけなのか、雇用主も被搾取者ではないのか、搾取者をさらに誰かが搾取しているのではないか、頂上に座る搾取者はどこにいるのか、国内にいるのか……。搾取システムが複雑に絡み、見えなくなっている。様々な統計資料から断言できるのは、富は懸命に働く人々のところではなく、たくさんの富を持っている人のところに、吸い寄せられるように集まり、経済格差がますます大きくなっているということである。搾取はますます広範囲に行われるようになっている。世界中から富をかき集めるシステムができ、たった26人の大富豪の富が、地球上の38億人の富に匹敵するまでになっている（2019年国際NGOオックスファムレポートより）。

議論の内容について、もちろん多くの読者から賛同をいただければありがたいが、広く認められている見解とは異なる部分も多いので、最初から全面的に賛同していただけるとは考えていない。資本主義後の望ましい社会の在り方を考える上で参考にしていただけるだけで満足である。読みづらい章は後回しにして、興味のある分野の章から読んでいただければありがたい。

「おわりに」では、現代的な社会変革がどのような方法で可能なのか考えてみた。暴力に頼ってできた社会は暴力に支配され、権力でできた社会は権力で支配され、財力でできた社会は財力で支配される。これは厳然たる歴史の真実である。とすれば、民主主義を大切にする社会は民主的な方法でしか作れないということになる。しかし、現在、日本社会の民主主義制度は、あまりにも未成熟である。国民主権は形骸化し、国民に与えられている選挙という制度は、もはや民意を表す制度と見なすことはできなくなっている。民主主義の制度を進化させ、進化させた民主主義で社会を進化させる。暴力や権力や財力で支配されることのない社会を実現するためには、このような民主主義の好循環を目指すしかないと思われる。「民主主義を育て、民主主義で育つ社会」が私の描く理想である。
多くの人は、そんな理想論は空想にすぎず、不可能なことだと考えるかもしれない。しかし、私は逆に問いかけたい。目の前にある現実のままでよいのかと。暴力や権力や財力で支配される社会のままでよいのかと。可能か、不可能か、未来予想の正解を言い当てる問題ではない。可能にする道を探し、創り出すのが私たちの生きる道である。私の本が、極々微力であっても、そのために貢献できることだけを願っている。

原稿がほぼ完成した頃に、新型コロナウイルスの流行が始まった。この流行は、現代社会の様々な問題点をさらに浮き彫りにし、大切なことを否が応でも思い出させてくれた。そのことを、急きょ書き加えることとした。

第Ⅰ章

税金の活用こそが社会進歩の鍵

1　歪められている日本の税制度

税金の制度についての議論から始めたい。「税金をどのように集めてどのように使うのか決める」ことが政治の最も基本的役割であり、社会の在り方を決める最も具体的な手段であるからである。

いつの時代でも、私を含めて多くの日本の納税者は、税金に対して好意的な感情を持てないでいる。増税反対の声は常に上げられるが、増税賛成の声が国民から上げられるのを聞いたことがない。税金が、つつましい暮らしをしている庶民から搾り取られ、富める者がさらに富を集めるために使われてきたという、負の側面が目立っているからである。封建時代の農民は「生かさぬように、殺さぬように」と、年貢という税を貢がされてきた。現代は、例えば「社会保障を充実させるために……」という名目で増税されている。そして、当然のことながら、実際、庶民生活のために税金の多くの部分は使われている。しかし、その陰で、課税制度や税金の使い方において、庶民生活のためとは言えないような部分も少なくない。

（1）富裕層や大企業に有利な方向へ

税制度の変化は、社会の変化を具体的に反映しているが、他の分野の変化と同じように歴史の流れを逆戻りしている傾向にある。制度変更により、税による所得再分配効果が1990年代の後半から急速に下がったことが原因で、2000年に入って急速な格差拡大が引き起こされたことが、ジニ係数などの統計資料から明らかにされている（林宏昭『税と格差社会』日本経済新聞出版社／2011年より）。

格差と最も関係する所得税の税率に関して言えば、上下変動を重ねながら、結局は富裕層に有利になるように変えられてきた。格差を緩和する効果がある累進課税の制度については、どんどん累進性が弱められている。1984年分では、所得税率が19段階に分けられていて最高税率は75％であった（課税所得8000万円超）が、2015年分では、7段階となり、最高税率（課税所得4000万円超）は45％となっている。約30年の間に所得税率を30％も下げてもらった超富裕層は大喜びしている。

また、申告納税者のデータによれば、実効税率（税負担／所得）は年間所得が1億円を超えると低くなり、超富裕層ほど税率が安くなり、累進性と真逆の結果となっている（林宏昭『税と格差社会』日本経済新聞出版社／2011年より）。実効税率が最も高いのは、年収5000万～1億円の層で28・9％となっていて、それより高収入では実効税率は下がっている。１００億円を超える人では17％で、２０００万円の人より低い（２０１４年国税庁資料）。超富裕層は利益を株式などで得ている場合が多いが、株式の利益については、分離課税方式によってすべての人に一定の税率（２０１３年までは10％、２０１４年からは20％）にすることができるのが理由の一つである。

消費税の還付制度の悪用も象徴的である。２０１９年、８％から10％に上げられ、一般国民や、国内での取引を主とする中小企業に対しては負担を増やす一方、輸出を主とする企業に対しては、消費税率の上昇が何の負担にもならないような優遇措置を用意している。消費税率が上がれば還付金も増えるようになっているからである。次のような仕組みである。

一般に、企業の消費税は、国内での取引において、販売額にかかる消費税（預かり金）から材料の購入額などにかかる消費税（預け金）を差し引いて納入される。この税は、消費にかけられる税金であり、最終的に個人であれ企業であれ、消費者・消費企業が支払うのであるから、良い悪いは別にしてそのようにならざるを得ない。

この消費税には、次のような還付制度がある。販売にかかる消費税（預かり金）よりも購入にかかる消費税（預け金）が多い場合に、預け金（消費税の支払い）から預かり金（消費税の受け取り）を差し引いた額が還付される。この還付制度は、消費者が負担する税であるという趣旨からは外れているが、販売が振るわない経営難の企業に対する例外的な救済措置という意味ならば、その意義はある程度納得できる。

しかし、実は、この制度の恩恵を最も多く受けているのは、経営難の企業ではなくて輸出大企業である。輸出取引については、消費税が内国消費にかかる税であることから、消費税はかからない。単純化して、輸出取引が１００％の企業で考えてみよう。その企業は、国内販売はゼロであり、国内取引としては、仕入れなどの購入時に消費税を支払う（預ける）だけの立場となる。その企業は、国内取引においては完全な消費者であるから、消費税を払うだけになるが、消費税とはそういうものである。消費者である一般国民が購入時に消費税を負担するだけの立場であるのと同じである。しかし、国内の取引に適用する例外的救済制度としての還付制度を、輸出取引にも〝適用〟すると不公正な優遇税制となる。輸出取引では、売り上げ（輸出）には消費税がかからないので預かり金は常にゼロであり、国内で購入時に支払った消費税（預け金）のみが存在する。したがって、輸出企業は常に還付金を受け取り、実質的に消費税は免税となる。このように、経営難の企業を救済する体裁で作った例外的措置を使って、輸出で大きな利益を上げ、内部留保をどんどん増やしている輸出大企業に多額の還付金をプレゼントしている。これは実質的には、自由貿易の原則を破る補助金になるので、外国からＷＴＯ（世界貿易機関）ルール違反であると批判されている。

「国税庁統計年報」によれば、消費税の税収のうち25％が還付されている（２０１８年）。なぜか消費税の個々の企業への還付金は発表されておらず、企業も公表していない。元静岡大学教授の税理士である湖東京至氏の推計によれば、還付金は上位の13社で約1兆400億円になっている。還付金が最高の企業は、2015年には約3600億円、2018年には約3500億円を受け取っている。もちろん補助金がなければやっていけないような企業ではなく、内部留保を、毎年1兆円をはるかに超えて増やしている（この企業の内部留保は、2013年約12兆7000億円、2018年約19兆5000億円）ような、巨大輸出企業である。そして、もちろん、自民党への献金額トップの企業である。

この企業への還付のおかげで、愛知県豊田税務署は消費税の税収が、1年で約3000億円赤字になっている。他にも神奈川税務署など、輸出大企業を抱える9つの税務署が赤字になっている（2018年）。企業への還付金は非公開のため推計でしかないが、税務署の赤字は公表資料である。推計は、この資料によって、概ね裏付けられていると言える（『全国商工新聞』第3335号より）。なぜ、輸出で大きな利益を上げている企業に対して、例外的救済措置である還付金制度を適用するのか。なぜ、非公表なのか。不信は募るばかりである。

（2）なぜ歪められる　政治と直結する税制度

近年の税制度の変化が、格差の拡大とつながっていることを述べたが、税の制度は政治で簡単に変えられる。

日本の富裕層は、自分たちの利益を代弁する政治家を育て、与党議員として国会に送り込み、内閣を組織させ、自らが有利になるような政策を実施させている。税制度もそのような政策の一部にすぎない。それを可能にしているのが、企業団体献金である。少しばかりの献金をすれば、その何倍にもなって返ってくる極めて効率的な〝投資〟〝合法的な賄賂〟が政治献金である。

日本の場合、企業献金・業界団体献金は、現在の政治資金規正法が〝ザル法〟であるため、実質的に野放しである。自由民主党への献金で言えば、トップの大企業は年間６０００万円を超えている。業界団体では、自動車工業会、鉄鋼連盟が８０００万円を超えており、電機工業会、石油連盟、不動産協会……などが続いている（２０１７年の資料より）。特に憲政史上最長の安倍政権になってからの伸び率は大きい。大企業にしてみれば、この程度の金額は〝はした金〟にすぎないが、受け取った政治家は献金元の企業や業界に逆らうことはできるはずがない。また、政治家の中では〝活動資金〟が豊富な者が選挙に勝ち、頭角を現す。このようにして国民の公僕であるべき議員は、企業と業界の僕と堕落する。そして、堕落した議員たちが国会では多数派となり、数々の悪法を作っている。

企業献金が廃止されれば、日本社会には革命にも匹敵する変化がもたらされるであろう。

2　税は何のために

このような現状の下で、「税金を上げたほうがよい」という主張が起きるはずはないし、私も、もちろんそのような主張をする気にはなれない。しかし、現状の歪みは制度改革で応じるべきであり、税金という制度自身の可能性、積極的な側面まで否定してしまっては、歴史が何千年も逆戻りすることになる。

人類が大きな集団を作り、そのメリットを活かして生き延びてきた歴史を見れば、税金（またはそれに相当する制度）のおかげで、1000人の集団が一個人の営みの1000倍をはるかに超えるような有意義な事業を行うことができ、1億人の集団が、一個人の営みを1億倍しても不可能であるような事業を達成できているのも事実である。税金は〝規模の利・集団の利〟によって、ホモサピエンスの長所である集団力を活かす制度である。

極端化して、税金がゼロの場合を考えてみればわかりやすい。水道や道路といった社会インフラの整備、治安の維持、公教育の制度、社会保障の制度、外国との交渉……などなど、すべてを個人の力を単純に寄せ集めても、効果的に機能するものにはならないだろう。公的に組織化する力が必要である。

私たちの目の前にある、資本主義社会における税金は、一部は特定の人だけのために不適切に使われるよう歪められてはいるが、大部分は国民のために使われている大切な制度である。歪みを修正することで、豊かな未来を切り開くための極めて有効な制度となり得るものである。

「新しい社会主義」を志向しながら増税反対の考えにとどまっていた私が、税金の重要性と積極性・可能性に気づかされたのは、デンマーク旅行（デンマークの環境政策、教育政策を学ぶ旅行）においてのことであった。

無料で平等に保障される医療や教育。特に教育においては、公的な支援によって、経済的な心配をせずに親たちが望むような学校が自由に設立・運営できるという、教育権を保障するという意味で、日本とは比べものにならない到達点の高さに驚かされた。日本では、今でも教育権に関する議論と言えば、せいぜい教育を受ける権利の保障に関するものであるが、デンマークでは教育の内容まで国民が決めることができ、経済的負担もなく、簡単に学校を設立・運営できる制度が整っている（付録1「教育を受ける権利から教育を作る権利へ」参照）。

水道はもちろん給湯まで無料で完備したシステム、働く意志さえあれば学歴や経歴にかかわらず生活の心配の要らない高度な社会保障制度、進んだ環境政策、充実した保育政策とそれに伴う婦人の就業率の高さ、自国民のみならず外国からの難民に対してさえも手厚い福祉政策を行う寛容な社会……など、日本の現実とは大きくかけ離れたデンマーク社会の一端に触れることができた。

旅行中のゼミナールで、税率は最低でも所得の50%以上であると聞き、その高さに驚かされた。2011年の資料では、平均で所得の67・7%が税金。現在の日本の最高税率55%(所得税45%、住民税10%)は、デンマークの最低税率と同じぐらいである。しかし、考えてみれば、税金はこのように使うものであり、このように使えば経済格差の是正につながり、すべての国民の豊かな暮らしを実現するための強力な制度となり得るということに目を開かされた。もちろん、デンマークを理想の社会であると無批判的に肯定しようとしているのではない。しかし、社会変革の一つの方向を示していると考えることはできる。

日本は、国際的に見て、国民負担率(国民所得に対する、租税負担率と社会保障負担率の合計)が大変低い国である。2019年の国民負担率は42・8%であり、OECD加盟36か国の中でも、最下層に位置している。日本は税金が特に安い国である。しかし、問題は、国民にのしかかっている重税感である。およそ4割の負担率の日本で重税反対の声が強く、およそ7割の負担率のデンマークで重税に対する反対の声が大きくないのはなぜなのか。

デンマークでは、税がどのように使われ国民生活を豊かにしているか国民がよく知っているのに対して、日本では税が国民生活のために使われていないという不信感(根拠のある不信感)が強いからである。日本の税の使われ方について、予算の透明度は、OECD

の中で最低であるという結果が報告されている（田中秀明『田中秀明の予算の政治経済学入門』ダイヤモンド・オンラインより）。不透明だから、不適切な使われ方、不正な使われ方が蔓延する。これが実情である。

「みんなが出し合って、一人一人の生活を豊かにする」という方向と逆方向にあるのが、新自由主義と言われる政治潮流である。「小さな政府論」として、アメリカのレーガン大統領やイギリスのサッチャー政権下で、その政策が強力に推進された経緯がある。日本でも中曽根内閣以降、小泉内閣の派手な政策展開などを経て、自民党の中でこの潮流が主導的な位置を占め続けている。

多くの国民の共有財産でもある公営企業が、利潤追求を目的とする民間企業に変えられた。政府の規制や介入を極力小さくして、自由競争に基づく経済活動を保障しようという考え方である。「小さな政府」の国では税負担は軽くて済むが、国民全員を互助する公共の力が小さくなる。アメリカの負担率はおよそ30％で、日本よりもさらに低い。万人が認める、世界でも冠たる〝自由な、格差社会〟である。世界の富裕者のトップ10人の中にアメリカ人が７人を占め、経済的上位者の１％の持つ資産は、下位から90％の人々の資産と同じである（２０１８年）。貧困率は高く、まともな医療を受けることもできない貧しい人たちが、社会的な支援もなく放っておかれている。

3 「自己責任論」と「抑止力論」はどこへ向かう

日本でもよく議論された「自己責任論」は、「新自由主義」「小さな政府論」と思想的には同じ根源を持っている。すべての人は自分の行動に責任を持たなければならないのは言うまでもないことであるが、そんなわかりきったことをことさらに強調するのが「自己責任論」である。自己責任という言葉はいろいろな場面で使われるので十把一絡げに論じることはできないが、政治的な意味としては、公共や社会の役割を低めることを目標として使われ、自己責任論者は、例えば生活保護制度などを厳しく批判することが多い。

私には、さらに「自己責任論」とアメリカで多数を占める「銃を所持し、自分の利益は自分で守る」という考え方が、重なって見えてしまう。先住民ネイティブアメリカンの人々が自然との共存を重んじて生きていた土地を、銃の力で奪って〝開拓〟した国、アフリカの原住民を銃の力で連れてきて奴隷として酷使していた国では、社会は生き残りをかけた戦いの場であったのだろうか。自分の身を守るのは銃以外にはなかった時代があったのであろう。今はもうそんな時代ではなくなっているはずであるが、銃に依存してきた社会の〝後遺症〟は簡単には治らないということなのだろうか。

「銃犯罪を抑止するために、国民が銃を所持する権利が必要である」という、怖い議論がアメリカではまじめに行われている。社会不安が高まる出来事があるたびに、銃弾の販売量が増えるということが実際に起きている。「戦争を抑止するために軍事力が必要である」「核戦争をなくすために核兵器の抑止力が必要である」という「抑止力論」、矛盾に満ちたこの議論が世界中に蔓延している。こんなばかばかしい議論をやっていた時代もあったのだと、振り返って笑える時代がいつ来るのだろうか。

抑止力が本当にあると思うなら、すべての国、すべての人が同じ武器を持つことに反対できないはずである。全員が強力な武器を持ち、すべての国が強力な軍事力を持ち、すべての国が核兵器を持てば、全員が、すべての国が、「抑止力」を持ち、争いのない社会、争いのない世界になるではないか。北朝鮮にもイランにも核兵器を持ってもらえば世界中が平和になるということになるではないか。

本当に、ぞっとする議論である。しかし、政治の舞台では、国内政治でも国際的な場でも、この「抑止力論」がまじめに議論されているのである。

銃社会アメリカで、銃の乱射事件発生のデータがある。乱射事件の定義を、「4人以上が撃たれた事件」とすれば、2015年以降のデータで、ほぼ1日に1件の割合で乱射事件が起きている（在米ジャーナリスト飯塚真紀子氏の配信より）。もっと小規模な銃の事件はもう1桁、2桁大きな数で起きている（銃暴力統計サイト『Gun Violence Archive』より）。これが、全員に「抑止力」を持つ権利が認められている国の現状である。また、世界を見ても、ほとんどが「抑止（軍事）力」を持つ国であるが、軍事力の〝乱使用事件〟は途切れることがない。いつも、世界のどこかで軍事的な紛争、小競り合いが起きている。起きてしまえば世界の終わりにつながる、「核抑止力」の〝乱使用事件〟が起きない保証はどこにもない。

さらに、「抑止力」は宇宙空間にまで広がっている。すべての兵器をコントロールする通信網の要は宇宙空間の人工衛星であり、核兵器を含めてすべての兵器は、ハイテク通信技術に支えられているので、宇宙での争いがすべてを決めてしまいかねない状況が生まれている。そしてまた、宇宙戦争に対する「抑止力」の開発に拍車がかけられている。例えば、中国はアメリカに追いつき追い越せと宇宙での軍事力開発を強力に進め、そのアメリカでは大統領が陸・海・空に加えて宇宙軍の創設を公言している。宇宙軍という組織はなくても、すでにそれにあたる軍事部門は出来上がっている。今、軍事面のみならず世界中の人々の生活をも支えている人工衛星が攻撃の標的とされるのである。争いを宇宙空間にまで広げたときの被害の大きさは計り知れない。

どこまで、愚かな「抑止力競争」を続ければ気が済むのであろうか。「抑止力」などいらない、銃などいらない、軍事力などいらない、核兵器などいらない。必要なのは、お互いを支え合う社会の制度であり、国同士でも互いの国を支え合う国際社会の醸成である。人による人の搾取をなくし、国による国の搾取をやめれば、争いの種は激減する。

公共や社会の互助的な機能を極力小さくするのは、歴史の逆行である。あらゆることを「自己責任」に還元してしまう「新自由主義」の行く手には、競争と争いが広がり、勝者と敗者の分断、精神的な荒廃が広がる。社会の機能、公共の役割をもっと大きくしなければならない。そのために、税制度とその有効な活用法は極めて重要である。もちろん、私は、負担率が大きいほど良いと主張しているのではなく、状況に応じた適正な負担率というのが、今の私には示すことができないけれど、存在していると考えている。ただ、大きな国民負担であっても、公共政策の充実につながり優れた社会システムの整備につながるならば、国民は負担に賛成するし、逆に、支払った負担が国民生活の豊かさにつながらなければ、たとえ負担率が低くても税に対して嫌悪感を抱く。より有効に税を使い、より大きな効果を生む政策を展開することが、社会の進歩である。負担率が大きくても不満が出ない国が、目指すべき国である。

あるテレビ番組で、高齢者の介護政策の進んだ事例として、オランダの事情が紹介されていた。高齢となり働けなくなっても豊かな生活が保障されるオランダでは、国民は老後の生活のために貯蓄をする必要がない。番組中のインタビューを受けたある老人の答えが印象的であった。それは「私たちは個人的な貯蓄をする代わりに、国にお金を預けてきました。私たちは老後の生活についても国を信頼しています」というものであった。もちろんその老人は、何の資産も持っていなかったが、日本で言えば高級ホテルの一室のようなゆったりした施設で、憂いとは無縁の生活をしていた。

日本では、私も含めて、貯蓄のない老後は考えられないほど心配である。つい最近にも、「老後の生活のためには（年金だけでは不十分で）2000万円以上の貯蓄が必要」という報告書が政府機関から出された。政府はなんと、内容が〝不適切〟であるとして、政府機関から出されたものであるにもかかわらず、報告書の受け取りを拒否し、報告書をなきものとしてしまった。もちろん、報告書はなくなっても実態はなくならない。

実は、この2000万円という見積もりは甘く、もっと必要であるという意見が多い。国民全員が安心して暮らせるようなシステムを作っている国と我が国の差が、ここまで開いてしまったのかということを痛感させられた番組であった。

日本では、かつての私もそうであったように、納税を権利とする考え方を持っている人は少ない。日本国憲法にも義務としか書かれていない（憲法30条より）。本来、税を払うということは、一方的に国から私財の一部を奪われるというものではなく、納税者がより暮らしやすい社会にするために私財の一部を投じるという行為である。自らの財産の、より効果的な活用方法が、税制に裏付けられた公共政策である。

どのように納税するのか、そして集められた税がどのように公共的に活かされるのか、それを決定するのは主権者（納税者）の主権行使の最も具体的で重要な部分である。つまり、財産権が認められている（憲法29条より）ことを前提として、「自分の財産の一部の使い方を自らが決める」ということが税制度の基本的考え方でなければならない。とすれば、納税を単なる義務としか認識しないというのは、国民主権を肝心な部分で徹底していないということになる（三木義一『日本の納税者』岩波書店／２０１５年より）。

全体としては、平和と民主主義を基調としている日本国憲法であるが、もちろん完全なものではなく、司法の独立を骨抜きとするような条項があるなど、致命的な弱点も存在している。税についてのこの部分も弱点の一つであり、将来的には改正されるべきであろう。ただ、悲しいかな、現実の政治の舞台で「憲法改正」で議論されることと言えば、もっぱら、低俗で詐欺的な内容の「自衛隊の存在を憲法で確認」することである。

4　アメリカで増える「金持ちだけの街」

世界で最も資本主義的な国であると言ってもよいアメリカで起きている現象は、税についての本質的な問題を、私たちに突き付けている。アメリカのいくつかの市で、裕福な人々の住む地域がそれまで所属していた自治体から独立する動きや、裕福な人々だけが集まって新たな自治体を作るという動きが出ている。

その最初の例となったのが、ジョージア州のサンディ・スプリングス市である。2005年、住民投票で圧倒的な支持（94％）を得て、それまで属していたフルトン郡から分離された市が誕生した。この地区はもともと年収1億円以上の富裕層も住んでいる高級住宅街であった。富裕層は自分たちが支払う高額な税金が、貧困層のためにより多く使われていて、自分たちは支払った分の恩恵を受けていないとの不満を持っていた。このことが郡から独立した市を誕生させようとした理由である。富裕層の主張に中間層が同調し、この市が誕生した。この市の人口約9万4000人の住民の平均所得は約1000万円である。

新しく誕生した市の政策は、自治体が行う公共サービスを大きく変えたと報告されている。公共部門の多くを民間に委託して、通常数百人必要な市の職員を9人に削減し、大幅なコストカットに成功したというのである。裁判所の業務まで民間に委託し、裁判長が必要なときは時給100ドルで短期雇用することになっている。潤沢になった上にコストカットして生まれた財源は、この市で懸案であった治安確保に惜しげもなく使われる。民間企業と契約し、24時間住民からの通報に対応することができる緊急センターが、住民の安全確保サービスを担当している。住民からの出動要請に対して、10秒以内に電話を取ることが義務付けられ、90秒以内に出動し、市内全体に150名配置されている警察官は、早ければ2分以内に現場に到着するというシステムが作られた。このような市の政策に対して、9割の住民が満足しており、他の地域からの人口流入も増えている。また、この市の〝成功〟を参考に、富裕層だけの自治体を作ろうという動きが増え、ジョージア州ではすでに5つの自治体が誕生し、フロリダ州、テキサス州、カリフォルニア州などで30の新たな自治体が誕生しようとしている（2014年）。

サンディ・スプリングス市にとって良いことばかりの結果となっていると報告されているが、幾つかの重要な問題が横たわっている。

第一に、住民投票に関する基本問題である。フルトン郡からサンディ・スプリングス市が独立する場合、当事者は市民だけなのか、郡の住民全体なのかということである。この場合、独立後の郡の状況を考えてみても明らかなように、当事者は市民だけではない。とすれば、市民の住民投票は市民の世論調査以上の意義を持たせるべきではないと考えられる。市の独立を決定する法的拘束力を持たせるためには、フルトン郡全体の住民投票が必要である。一般に、住民のことを住民投票で決めるのは、極めて民主的であり、私は、特に、そのような民主主義の成熟こそが進むべき歴史の方向であると考えている。しかし、フルトン郡に関わることをその一部でしかないサンディ・スプリングス市民だけで決めるのは、極めて非民主的である。

第二に、独立後、民間に業務委託することでコスト削減に成功し、市の財政が豊かになり、公共サービスが良くなったとされている点である。業務委託については、財政のより効率的な活用の観点から判断すべきことであり、一般的に善悪を判断することはできないだろう。しかし、サンディ・スプリングス市の財政改善の主たる理由が業務委託ではないというのは、経過から明らかである。そのことを、ある意味で間接的に証明するのが、取り残されたフルトン郡の裕福でない地域の惨状である。税収が大きく落ち込み、治安対策が遅れ、ゴミ処理も十分に行えず、様々な行政サービスの縮小を余儀なくされていると報告されている。税収が少ない上に治安対策などの公共政策のための費用がかさむ地域から離れることで、サンディ・スプリングス市の財政が潤ったのであれば、自治体の在り方としては成功例でも何でもなく、単なる〝お荷物地域の切り離し〟である。

第三に、このような手法の先にはどんな社会が待っているかということである。このような切り離しが何の対策もなく野放しで行われるならば、個人の経済格差が都市の間の格差として固定化され、「みんなは一人のために」という社会の機能は完全に不全となる。さらに、今は表面化していないが、サンディ・スプリングス内部にも大問題が潜んでいる。市の発足のときこそ、貧困層を切り離したい億万長者と中間層の利害が一致していたが、発足の動機が〝お荷物地域を切り離す〟というものなので、サンディ・スプリングス市の価値観では、お荷物となっている人はいつ切り離されても仕方がない。年収1億円以上の富裕層と年収1000万円の中間層は、フルトン郡全体の中では貧困層と別れたいということで協力関係を築けたが、この協力関係は利己主義で成り立っている。サンディ・スプリングス市で、年収1億円以上の人が、自分の支払っている高額な税金が、年収1000万円の人のために回されているので不公平であると言い出すことを止めることはできない。億万長者は高い税金を支払って、市全体のために警察機能を高めるより、個人的にセキュリティー業者と契約を結べば、24時間邸宅を警備してもらえるのでコストダウンできると言って、サンディ・スプリングス市から少数の億万長者だけが独立を求めるというような主張を始めたら、論理的には抵抗できない。もちろん、億万長者がそんなに多数を占めるはずがないので現実的ではないとしても、考え方としてはそのような低俗で利己的なものである。

他人のことはかまわず自分だけ豊かになればよいという考え方は、ホモサピエンスの生き抜いてきた歴史の流れに逆行するものである。富裕層だけの街を作るという動きは、アメリカの資本主義を象徴する出来事である。

5　税金の意味を掘り下げる　なぜ累進課税が必要なのか

最後に、税金の意味を根本的に問い直す立場から、この出来事を考えてみよう。

納税者の義務と権利について先に議論したが、それよりもさらに深い問題が、税金の問題には横たわっている。先の議論では「自分の持っている財産をより効果的に活用する権利が納税である」というように、納税は自らの財産権に関わる問題と述べてきた。サンディ・スプリングス市の富裕層の考え方とも、ここまでは同じである。しかし、税金の意味を深く理解するためには、もう一段階掘り下げて、財産・所得・収入がどのようにして得られるのか、なぜ格差ができているのかということから考え直さなければならない。

富裕層が、自分が支払った多額の税金が貧困層のために使われるのは不公平であると主張したり、累進課税制度に異議を申し出たりするのは、共通の考え方から生まれている。サンディ・スプリングス市独立のために中心的な役割を果たしたリーダーは、端的に累進課税に反対し、「政府の（累進課税による）所得の再分配政策には反対です。お金を盗む行為であると思います」と主張している。自分が稼いだお金を、稼ぎの悪い人たちのために使いたくないというのである。

累進課税制度に攻撃を向ける人たちは、自分の支払う税金の大きさについては問題にするが、自分の得る所得の大きさについては問題にしない。平均的な所得の百倍を得ていても、自分の個人的才能と努力の結果であり当然のものであると考えているのであろうか。さらに言うならば、自らが搾取者であり、他人の労働を搾取している（それこそ人のものを盗む行為であるが）ことの可能性については、全く考えにも及んでいない。どんなに有能であっても、人の百倍働くことなどできないので、人の百倍も収入があるとすれば、自分が搾取している立場にいるのではないかと考えるべきである。また、自分よりもっと才能があり、努力をしている人でも所得に恵まれていない人の存在に、気が付いていないか無視している。浅はかにも、自分一人の力でたくさんの稼ぎを獲得していると、都合よく勘違いしている。今の社会の搾取システムの中で、そのシステムにうまく乗っかって高収入を得ているということ、つまり自分の高収入は現代社会のシステムのおかげであるということを、故意に見逃しているのである。

例えば、株式の配当金だけで年間何十億円という収入を得ている人々も存在している。現代社会の搾取システムは、ますます複雑でわかりにくくなっており、本人の意思とは無関係に搾取する立場にも搾取される立場にもなり得る。何もしなくても、現代社会のシステムに乗っかっているだけで普通の人の何百倍もの収入を得ることができるのである。株式会社という社会システムがあり、その中で自分が高収入に結び付く位置にいるだけであるということ、別に自分でなくても今自分が果たしている役割を果たせる人はいくらでもいるということ、つまり、自分の稼ぎは現代社会のシステムの恩恵にすぎないということを完全に無視している。

才能に関しても、もし、自分の豊かな才能だけで高収入を得ているのだと勘違いしている人がいたら、なぜ豊かな才能が収入につながるのかよく考えてみればよい。例えば、サッカーの才能にあふれた人が現代でなぜ高収入を得ることができるのか。もちろん並々ならぬ努力と豊かな才能には、尊敬が払われてしかるべきではある。しかし、もっと忘れてはならない肝心なことがある。サッカーというスポーツが社会的に認知され、その有料観戦システムが世の中に行き渡り、高い人気を獲得している社会状況があるから、その才能が高収入につながるのである。並外れた身体能力を持っていたとしても、その人が、ローマ時代の最下層奴隷であるコロッセオの戦士であれば、その能力は自分の幸福のために活かすことはできなかったであろう。自分の才能が、自分の幸福のために活かされるのかどうか、それは、時代における社会システムに依るのである。

今の社会システムの中で高収入を得ている人は、ゆめゆめ自分の力だけで稼いでいると考えてはならない。自分が持っている才能が自分の人生を豊かにするような社会システムになっていることに感謝し、また、不運にもそうでない人もたくさんいることに思いをはせ、人より多く稼げる位置にいたら、人より多く社会に還元すべきである。

その一つの手段が税金による所得の再分配であり、その効果的な方法が累進課税である。複雑な搾取システムを全廃するには時間が必要であり、格差解消も同じである。搾取が廃止されず格差が残っている段階で、その弊害を緩和する方法が累進課税である。

フランスの経済学者トマ・ピケティは、世界中の関心を集めた労作『21世紀の資本』（2013年）において、過去の経済的データから、資産が資産を生むことで、富める者がより富む傾向にあることを実証した。統計的に言えば、今、高収入を得ている多くの人について、その高収入の源は現在の努力ではなくて過去の蓄積（先祖の蓄積も含めて）である資産であるということになる。もちろんピケティは、累進課税の意義を労作の中で強調している。

時代を超えて、社会のおかげで高収入を得ているのであるということを肝に銘じ、幸運な立場にいる人は、より多く社会還元することを当然のことと考えなければならない。利己的なサンディ・スプリングス市の富裕層の人たちのように、「税による所得の再配分は泥棒行為である」などと考えるのはもってのほかである。

第Ⅱ章
労働が報われる賃金制度を目指して

1 「働きに応じた報酬」の具体化をどうする

賃金制度は、現代社会では最も重要な制度の一つである。「働きに応じた報酬を」という原則を、真正面から否定できる人は少ないだろう。この原則の通りなら、搾取は起こり得ず、勤勉に働く者は相応の収入を得、働かない者には収入がないはずである。しかし、現実はこの原則通りになっていないことを、誰もが知っている。

労働者に対して報酬が少なすぎることが資本主義の本質的特徴である。もちろん現在でも、この特徴に変わりはない。圧倒的多数の労働者にとって、報酬は労働が生み出す価値量よりも小さくなっており、その分、多すぎる報酬を受け取っている少数者がいる。資本家・株主・会社役員などの特権的高額報酬獲得者である。圧倒的多数の労働者は〝働きより小さい報酬〟を余儀なくされ、ごく少数の特権者は〝働き以上の高額報酬〟にありついている。これが資本主義的搾取システムである。「特別章」で、資本主義社会における搾取の基本的しくみを記述しているので、ぜひ確認していただきたい。

一部の人は、搾取の存在を認めない、または、過去の話であると流してしまう。そのような人は、例えば、ほとんど労働していない株主の収入が、懸命に働く労働者の何百倍もあることについて、合理的に説明することはできないだろう。

生まれたての資本主義は、〝賃金奴隷制〟と呼ばれるのがふさわしい、過酷で露骨な搾取制度であった（例えば、1833年のイギリスの工場法が、搾取の過酷さを物語っている）。現代は、資本主義から次の時代への移行期間であり、純然たる資本主義社会ではない。最低賃金制度や団体交渉権などの様々な法律によって、労働者は賃金や労働条件について守られ、また、交渉することが可能となっている。搾取社会の中で「働きに応じた報酬を」という考え方が育ち、搾取の廃止を実現する歴史の流れが創られている。この歴史の流れをますます確かなものにし、搾取の廃止を具体的な制度として定着させることが、最も大切な課題である。

「働きに応じた報酬」は、どのように具体化されるのであろうか。『資本論』的解釈では、「その労働によって、生み出された価値（商品）に相応する報酬を」ということになる。労働者全体に支払うべき報酬の額は、それから計算できるだろう。そして、個々の労働者に対しては、労働価値学説から「平均的な労働強度での労働時間に応じた賃金」を、ということになる。特に、労働者全員が工場のベルトコンベアーの前に並んで単純労働をしているような場合は、労働時間に基づいて報酬を決めるのは、一定の合理性を持っている。しかし、労働の質が極めて多様になっている現代社会で、質的に異なる労働をしている個人に対して、時間のみを基準に報酬を決めるのは無理が伴う。そのような場合、平均的な強度の労働とはどのようなものなのか、具体的に平均すべき量としてふさわしいものが見当たらない。学習と経験とたゆまぬ努力の結果習得した技能を持たなければできない労働と、そうでない労働の区別は明らかに存在している。そして、その差を無視して労働時間のみをモノサシにして報酬を決めるのは、合理的とは言えないし、多くの人にとって納得できるものではない。

個人の報酬を決めるという難問に対して、現実の資本主義社会では、単純明快な処理法が実行されている。必要な労働力を確保できるように、労働市場の機能に任せて賃金を決める。ただそれだけのことである。その労働によって、生み出される価値（商品）の量には無関係に、労働の内容・労働条件と賃金を提示し、それで労働者が集まらなければ、利益が確保できる範囲で賃金を上げる、というようなことのやりとりで賃金が決まる。雇用者はできるだけ低い賃金額で労働者を集めようとするし、労働者はできるだけ条件の良いところで働きたいと希望する。

このようなやり方で賃金を決める限り、拡大する賃金格差は、避けることができないだろう。特別な技量が必要でない労働には、賃金が低く労働条件が悪くても就労可能者が多く、逆に、特別な技能がなければできない労働には、就労可能者が少ないからである。

特に最近話題となっているのが、コンピューターのプログラミングの能力が高い人物の争奪戦である。個人の能力で業績が大きく左右されるから、世界中から富をかき集めているグローバル企業は、他の企業の追随を許さない高額報酬で有能な労働力を取り込んでいる。「労働力の価格」が、世界的規模のオークションで決められるようなものである。

また、例えば、株主は、企業の業績を上げ、配当金を増やしてくれる経営手腕を持つ人物を獲得するためには、他の企業に負けないような高額報酬に賛同する。近年、日産自動車の会長（当時）カルロス・ゴーン氏の所得の不正報告問題がニュースに取り上げられた。ゴーン氏批判が目標ではさらさらないが、資本主義的な賃金決定がいかに不合理なものであるかという議論として使わせていただきたい。

発端となる容疑は、所得の過少報告（虚偽報告）が株主への背信行為となるということである。3年間で42億円の所得を報告していなかったとされている。年間に何十億円もの報酬を得ていたらしいが、そのおよそ半分を報告していなかったというのである。なぜ報酬を過少に報告していたのか、ゴーン元会長は「一般社員の労働意欲に関わるから」と答えている。彼は大変よくわかっている。自分だけ高い報酬を得るのは反感を買うことであると。部下に命じて経営合理化の案を作らせ、誰にもできないような無慈悲な大量リストラ（5つの工場閉鎖、2万人の従業員削減）を素早く強行し、コストカッター、コストキラーとの異名を付けられながら、落ち込んでいた日産の業績をV字回復させた。資本主義的経営者の英雄であるから、報酬も高いのである。報告に虚偽があることで罪に問われているが、報酬が高かったことが罪とされているわけではない（逮捕後、新しい容疑が出てきているので、今後の裁判等でさらに詳しい内容が明らかにされるであろう）。

日産の経営状態が不調なときも好調なときも、利潤を生み出す自動車という商品を製造していたのは一般の労働者であり、会社の幹部役員でも株主でもない。事件が明るみになった時点ではゴーン氏はルノー取締役会長、三菱自動車工業会長、日産自動車会長として3つの会社の役職にいた（後日、第4の会社からも隠れた報酬を得ていたと報道されている）。彼は厚顔にも「日産のために全精力をささげてきた」と訴えている。では、ルノーや三菱自動車には精力を使わなかったのに、日産からの報酬と同じような高額の報酬を得ていたとでも言うのだろうか。おそらく日産の社員の中でも日産のために〝流した汗水の量〟は最も少ない部類の社員であっただろうゴーン氏が日産の中でも突出した報酬を得ていたのである。一般社員（平均給与約800万円）の数百倍の報酬である。〝流した汗水の量〟と賃金がこんなにもかけ離れているのは、私には明らかな不合理であると思えるが、高額報酬はもちろん罪でも何でもなく、報告しなかったことだけが罪として問われている。

このように、圧倒的多数の労働者の「過小な報酬」が、少数者の「過大な報酬」を支えていること、これが現代の資本主義的な報酬制度である。

「働きに応じた報酬」という、あまりにも正しい原則は、どのように具体化されるべきなのであろうか。どこにも正解例は出されていないように思われる。私自身も、結論から先に言えば、「合理的で客観的な単一のモノサシはどこにも見つけられない」と考えている。

とすれば、民主的協議によって極端な報酬の偏りを修正しながら、すべての労働者が貧しさによる生活苦を感じなくていいような制度を決め、そして、一度決まっても終わりとせず、常に制度の検証を欠かさず、協議と検討による改善をずっと継続するしかない、と考えている。その場合、例えば、労働分配率などが特に重要な指標となるだろう。

そして、何よりも大切なのは、労働者全体のことを考えてくれる、企業から独立した組織としての労働組合がその協議に加わることである。そのような協議・検討・改善をいつまで続けるのかと言えば、社会のすべての構成員が、ある程度の豊かさを実感でき、賃金の差にあまり執着しなくてもよいと考える状態になるまでである。したがって、終わりのない作業になるだろう。

現代の高い生産性を、一部の人だけの報酬を増やすために使うのではなく、すべての労働者の報酬を上げるために使うという立場を見失わなければ、より不平等感のない制度に向かって改善し続けることは不可能ではない。

2 「同一労働同一賃金」から「同一価値労働同一賃金」へ

「同一労働同一賃金」が、近年の国会の重要議題になったことがあり、当時の首相（安倍晋三）は野党議員との論戦の中でそれを目指すと答弁した。正社員と同じ仕事をしていながら、派遣社員の賃金が安いことが問題として取り上げられたときのことであった。2020年から実現されるとなっているが、どのように具体化されるのであろうか。

私はこの議論に疑問を持っていた。「同一労働同一賃金」という言葉には、賃金は労働に対して払われているという誤った認識が前提として潜んでおり、資本主義社会における賃金の本質、つまり、労働に対して支払われるのではなく、労働者の生活費であるという点を覆い隠す議論に思えたからである。「同一労働同一賃金」はもちろん守られなければならないが、搾取の有無が根本問題である。同一賃金が達成されても、同じように働いた正社員と派遣社員が、同じように搾取されていたのでは、誰も喜べないからである。また、派遣社員という制度自身の問題を放置することになるからである。

ただ、「同一労働同一賃金」から「同一価値労働同一賃金」というように、労働の価値に議論の焦点が絞られ、一段階深められた形で議論が進めば、あるべき賃金制度に近づくプロセスに乗るのではないかと思えるようになった。「同一価値労働同一賃金」という考え方は、性別や国籍、民族はもちろん、職種を超えても、同等の価値を有すると見なされる労働に対しては同等の報酬を支払うべきであるというものである。例えば、看護師の労働と医師の労働ではどの程度価値に差があるのかが議論され、また、企業の役員と一般の事務労働者や技術者、工場現場の労働者では、それぞれの労働をどのように評価すべきなのかが問題とされる。

もちろん、質的に異なる仕事の価値を測定する単一のモノサシを見つけるのは原理的に不可能であることは前に述べた通りである。ある時点時点で、「誰でもが納得できる」形で、実は、正確に言えば「誰も本当は納得できないけれど我慢できる」形で、折り合いをつけるしかないと思われる。正解の決め手がないのがわかっていながら答えを求める議論を続けるしか方法はないのである。

ただ、議論を続けることで、労働の価値に関心を持ち続け、あらゆる分野の労働に目配りができ、そして、今私たちの目の前にある明らかな不合理は取り除くことができるからである。そして繰り返しになるが、この議論には、企業から独立した立場の組合が参加しなければならない。ＩＬＯ（国連国際労働機関）が、しばしば有益な提言をすることができるのも、国連の機関としては珍しく労働組合の代表がその重要メンバーの一部を担っているからである。

そのような議論を続けることで、例えば、カルロス・ゴーン（だけではないが）のような、4つの会社の経営者を務め、日産自動車のためには労力的には〝片手間（日産の仕事は4分の1?）〟で仕事をしていたような人間が、汗水たらして全労働を日産自動車のためにささげていた労働者の数百倍近い報酬（実際はもっと多いかもしれない）を得るなどという明らかな不合理を問題にすることができる。また、労働力の価格がオークションで決められるようなやり方が、あらゆる職場で広く行われることは止められるのではないかと思われる。いずれにしても、賃金が労働によって生み出される価値との関係で議論されるということが大きな意味を持っているが、日本ではそのような観点は育っていないことが問題である。

過労死が問題とされ、派遣社員の低賃金がこれだけ取り上げられているにもかかわらず、労働者の賃金のための大規模なストライキ闘争が行われたというニュースは、最近10年以上ずっと大きく取り上げられていないように思われる。ストライキは労働争議権として法的に認められた労使交渉戦術の一つであるが、労働者が分断され抑え込まれていることの表れなのであろうか。この闘争なくして労働の価値を社会的に認めさせることはできない。例えば、日産労働者がストライキを行ったときの日産の損害額が、労働者たちに支払った賃金の合計額と比較することで、賃金額の妥当性を測る一つの指標とすることもできる。ストライキという戦術を封印していては、労働の価値を認めさせることはできないということを肝に銘じるべきである。ゴーン元会長は逮捕されてからでも、自分の報酬額が妥当であったと主張し続けていた。労働者も自分の労働が正当に評価されていないということを主張する手段を持たなければならない。そのような主張のぶつかり合いの中でのみ、労働の価値評価が妥当なところに落ち着くのである。

歴史的に見れば、ストライキなどの、労働の価値を正当に評価させる交渉の積み重ねで、今の賃金水準や労働条件、労働者の諸権利が社会的に認められてきた。残念ながら、現在の日本は、特に歴史に逆行した方向に向いている。ＯＥＣＤ（経済協力開発機構　36か国加盟）の資料によれば、１９９７年から２０１７年の20年の間、日本はなんと10％以上賃金を下げている（もちろん実質賃金）。Ｇ７で下がっているのは日本だけである。派遣労働者の増加や、企業の内部留保の増加、労働組合の交渉力の低下などが原因に考えられる。これでは国民の購買力が減り、不況が続くのは当然である。

「同一価値労働同一賃金」について、国際的議論の状況を概観してみたい。１９５１年ＩＬＯ（国連国際労働機関）１００号条約で、「職種が異なっていても同等の価値があると認められた労働に対しては、男女を問わず同じ報酬を支払わなければならない」とされ、１７８か国のうち１６２か国で批准されている（２００５年の資料）。ヨーロッパでは、１９５７年のＥＥＣ（ＥＣの前身）発足時に男女賃金同一原則がローマ条約に盛り込まれ、１９７５年ＥＣ（ＥＵの前身）理事から各国に対して「各国で法律の整備を求める」指令が出された。フランスやドイツでは国内法がこの指令に沿って整備された。イギリスは1982年、ECの指令に従っていないという裁判を起こされ、敗訴したので、この条約に後ろ向きであったサッチャー政権下ではあったが「同一価値労働同一賃金」を法律化した。そして1997年、EUのアムステルダム条約の中に明記され結実した。この分野でヨーロッパが先進地域の一つであることには、このような背景がある。働き方の最先進エリアと言われる北欧の特徴は、「原則を具体化する制度」が整えられているという点である。組織率80％前後の労働組合の存在を背景に、労使があるべき賃金制度について恒常的に協議を続けていることが、具体化をする力の源である。カナダもこの分野の先進国であると言われている。1977年、あらゆる差別を禁じた「カナダ人権法」に「同一価値労働同一賃金」が盛り込まれた。

3　生存権（憲法25条）が示唆する賃金の考え方

障がい者の労働について考えると、現代の日本がよく見えてくる。これもまた近年、問題となった事件であるが、政府のほとんどの省庁（なんと管轄の厚生労働省を含む27省庁）で、障がい者の雇用数を大幅（約2倍）に水増しし、虚偽報告していたというのである。

障がい者の自立支援を目標として、障害者雇用促進法が1960年に制定された。賃金や待遇などで、不当な差別の禁止が明記されており、障がい者の雇用者数を全従業員の2・2％以上にすることとされている（従業員45・5人以上の企業で1人以上）。ところが、企業に順守を求める立場の政府の機関で守られておらず、しかもごまかしていた。なぜ、このような法律が必要とされ制定されたのか、そしてなぜこの法律を守らせることが大変なのか、なぜ政府機関で虚偽の報告がなされたのか、……。そこに、現代社会の特徴が表れている。

日本が純粋な資本主義国ならば、資本家は、障がいを持つ人は〝利潤への貢献度〟が低い労働者であると考え、まともな条件では雇用したくないと考える。しかし、日本国憲法（25条）では、「すべて国民は、健康で文化的な……生活を営む権利を有する」と生存権が規定されている。この条項は、明治憲法にはなく、またGHQ草案にもなかったものであり、日本の社会政策学者の発案で盛り込まれたものである。憲法のこの条項は、「労働力の市場価格」とも「働きに応じた報酬」とも異なる、もう一歩進んだ「別の観点」からの労働報酬の在り方を示唆している。この条項を根拠に、1960年の法律が罰則（納付金）付きで制定されたのである。また、最低賃金制度も、この条項を根拠としている。

「別の観点」とは、社会の構成員をすべて大切にする、「社会主義」の原点とも言える考え方である。「働きに応じた報酬を」というのは、正しい基本原則ではあるが、市場経済の原理を引きずっており、「では、障がいのため、働き方に制限がある人はどう生きるのか」という問題が残される。市場原理からさらに一歩進み、生産への貢献度から解放されて、「能力にかかわらず人として尊重される労働と報酬を」という考え方である。このような考え方は今や特別なものではなく、世界各国に広く浸透し、揺るがぬ立場を占めている。すべての人に健康で文化的な生活を保障することを謳った日本国憲法第25条は、条文としては大変先進的であったのである。

しかし、日本では、いつものことながら、条文とその具体化は別の話になる。障がい者が自立した生活を営むためには、多くの苦労が避けられない現実がある。そして、明るみに出た虚偽報告の事実は、世界の人権擁護思想や世論に押されて法律を作らざるを得なかった政府の本音は、憲法25条や障害者雇用促進法と真逆であったということを示している。

資本主義社会の中で新しい社会制度の芽が育っているという視点から、現代を評価しようというのが本書の大きなテーマであるが、障がい者の雇用問題も、古い資本主義と新しい社会制度がせめぎ合う最前線なのである。近年、この最前線は歴史の逆方向に動かされている傾向が強い。ただ、2019年の参議院選挙で、重度の障がいを持ちながら社会活動に積極的な2名が当選した。明るい兆しであることを願っている。

4　働くことの喜びを取り戻す

労働にとって、その報酬と同じくらい大切なものは、働くことの喜びが感じられることである。働き甲斐を感じる場合とそうでない場合の差は明確に存在している。感じ方は、もちろん個人によって異なるが、報酬が大きくても気が進まない仕事もあれば、逆に、報酬が大きくなくても喜びを感じられる仕事もある。

経験から推測するならば、自分の持っている個性（能力）を存分に使って課題を達成するとき、労働にやり甲斐や楽しさを感じることができるように思われる。人間は様々な能力を持っている。先のことを予想したり、計画したり、課題解決の独創的な方法を思いついたり、そして、あらゆる身体機能を使って実際に課題を処理する力を持っている。人間は、無意識のうちに、自分の持っている力をすべて使うことに喜びを感じるのではないだろうか。このようなことは人間に限ったことではなく、生き物すべてに共通するのかもしれない。散歩中の犬は、目的もなくただ走りたがることが多い。鎖につながれて走る能力を発揮する機会が少ないのを補っているのだろうか。

また、お互いの力を表現し合うことで、人はお互いを認め合う。他者の能力を見て尊重すべき存在と認め、自分も同じように認めてもらうことで、他者との関係を築いている。

新味のない仕事を延々と繰り返すとき、様々な能力を発揮できず退屈さを感じ、単純作業の繰り返しで自分の個性を表現することができず、意欲が減退する。

石器時代人にとって、大きな獲物と格闘する狩猟は、現代人がスポーツを楽しむことよりもっとエキサイティングであったかもしれない。マンモス像の狩猟には、ラグビーの試合以上に、戦略的工夫、チームワーク、肉弾戦が必要とされていただろう。そして、獲物を仕留めたときの喜びは、試合の勝利以上のものであっただろう。この時代の人にとって、狩猟は生活のために必要な労働であると同時に喜びでもあっただろう。

人類には、いつの時代から、労働と娯楽の区別、〝やるべきこと〟と〝やりたいこと〟の区別、ができてしまったのだろうか。余談になるが、映画『アミスタッド』（スティーブン・スピルバーグ監督／1997年）の一場面から、この問題について考えさせられることがあった。

「人狩り」によって奴隷として売られてきたアフリカ原住民の、史実に基づいた裁判劇である。言葉が通じないだけでなく生活習慣が全く異なるアフリカ原住民との意思疎通に、主人公の弁護士が苦労する場面である。お互いの言葉を理解し合うやりとりの中で、原住民の言葉には〝〜するべき（should）〟という意味に相当するものがないことに気づく。これは、どういうことだろうか。異なる言語が翻訳し合えるためには、共通の生活様式が前提である。原住民の生活では〝〜するべき〟とか〝〜しなければならない〟という場面がなかったということなのだろうか。考えてみれば、このような言葉が必要なのは、「〜するべきであるがしたくない」とか、「〜しなければならないけれどできない」とか、するべきことと現実の間に乖離が生じているときであり、するべきことがやりたいことと一致していて、するべきことはするのが当たり前で、するべきことはする以外にないとすれば〝〜するべき〟などという言葉は必要がない。原住民がそのような生活をしていたのだとすれば、私たちの祖先にもそのような時代があった可能性は大きい。

〝するべき〟と言われればなんとなく気分が重くなり、〝やりたい〟と思えばワクワクする。労働という行為で、義務的な重苦しさが支配的となったのはいつの時代からなのか。資本主義よりはもっともっとはるかに古い時代ではあると思われるが、資本主義的な賃金労働も、〝生活のためにやらなければならないこと〟と〝やりたいこと〟の乖離を広げているのは確かなことである。もちろん、資本主義社会においても、やりたいことで楽しみながら生活の糧を得ている人はいる。そのような人を、心から祝福すると同時に、それが少数の恵まれた人だけではなく、より多くの人にとって一般的なこととなるのを願うばかりである。

他人に雇われることもなく、自分の行動を自分だけで決めているときは、予測・計画・工夫・実行・反省など肉体的精神的仕事をすべて自分主体で行う。そのように全面的に能力を使っているとき、人間は現代人の多くが感じているほどは、労働に対する苦痛は感じないだろう。予測通りに作業が進まない、計画通りにいかないという困難さえ、克服したときには、困難に直面したときの苦痛を補って余るくらい喜びをもたらすものであるだろう。もちろん、単純な繰り返しの退屈さから完全に解放されるのは不可能ではある。しかし、作業を続けるのも止めるのもすべて自分の意思で決められるのと、決定権を雇用主に握られているのとでは根本的に異なっている。社会的分業が進み、雇用された労働者は自分の意志で作業内容を決められなくなり、特に、能力活用において偏った作業が求められるようになれば、労働が喜びからますます遠ざかることとなる。

人生のおよそ3分の1が労働の時間であるとすれば、その時間が喜びに満ちているのか否かは、特に重要な問題である。便利なはずの都市生活をやめて、自然豊かな（不便な）田舎暮らしに転じた人のことが、メディアでよく紹介される。もちろん、そのような人は多数者ではないが、あえて不便な生活をしてでも、人間的能力のすべてを使うことで喜びを感じたいという、人間が持っている本来的欲求を垣間見ることができる。

生産効率尊重の現代社会では、分業化はさらに進み、活用する能力の偏りはひどくなり、労働者のストレスも増える。現代人は労働におけるストレスを、労働以外の場面で解消するしかないのだろうか。とすれば、デスクワークのストレスはスポーツなどで補い、肉体労働のストレスは文化的な娯楽で補うなどの余裕が必要である。

このような問題に対して、デンマーク旅行のときに聞いた話を思い出す。労働時間として束縛される時間が少ないので、デンマーク人には自由な時間が多い。家の修理や、車のメンテナンス・簡単な修理、なんでも自分でやってしまう人が多い。原子力発電反対の象徴として、手づくりの風力発電用の風車がデンマーク中のいたるところで（専門技術者でない）一般人によって建てられたのにも、そのような背景があった。自動車についても、簡単な修理は個人でやる場合が多く、私たちを案内してくれたデンマーク人の自動車も、修理をしながら20年以上乗っているとのことであった。当時の日本では、最初の車検時に早々と車を買い替える人が増えていたので、その違いに驚かされた。どんな物でも、修理を楽しみながら大切に使うのは、生活習慣としてだけでなく環境対策としても好ましいことである。

時間に追われている者には家事は負担でしかなく、楽しみととらえることが難しいが、料理することや家のメンテナンスをしたり、自動車や自分の持ち物のメンテナンスをしたりすることは、本来は苦役ではないはずである。余裕のもとでは、楽しみともなり得る。日本では、せっかくの日曜日も、家事なのか楽しみなのか区別がつかない〝買い物〟で時間が潰れてしまうこともある。デンマークでは、日曜日にはほとんどの商店は閉まっている。日曜日に買い物を楽しみたい人は、閉まった店でウィンドウショッピングを楽しみ、気に入ったものを見つければ開店日に購入に来るとのことであった。24時間営業のコンビニエンスストアーやスーパーマーケットの労働条件のことが問題となっている日本との違いは、ここまで大きくなってしまっている。やはり、労働時間の問題なのだろうと思われるが、生活に追われるのではなくて、生活を楽しむようになりたいものである。

労働条件も、究極的には「労働を楽しむことができる」というのが目指すところである。現代社会では、多くの人には与えられていない贅沢かもしれないが、このことは労働効率の面からも重要な課題である。日本では、近年「働き方改革」と称して、このことが国会で議論された。そして、いつものことながら、〝改革と改悪が混ざった形〟で、労働強化にもつながりかねない法案が成立（2018年）した。

1日8時間労働制は、社会主義者ロバート・オウエンが初めて提唱し、ソビエトで初めて実現した到達点ではあるが、現代はさらなる労働時間の短縮を目指すべき段階である。高くなった労働生産性を、大量生産・大量消費、労働強化・利潤拡大のためではなく、労働時間を短縮し、お金や化石エネルギーを使わない自由時間の活用の仕方の創出によって、生活を豊かにするために生かすべきである。環境問題の最終的解決は、そのような方向にしかない。

石器時代人は、現代人よりもはるかに労働時間が少なく、余裕のある生活をしていたという研究もある（マーシャル・サーリンズ『石器時代の経済学』法政大学出版局／2012年より）。これだけ生産性が高くなった現代において、ごく少数の人に大きな利潤を貢ぐために、長時間の束縛労働によって働かされなければならない理由はどこにもないはずである。現代社会では、生産技術や生産性の向上は、労働の負担軽減や自由時間の拡大のために行われているのではなく、利潤獲得を大規模に行うためだけに使われていて、不況や恐慌のリスクを生み出し、同時に、地球環境のかく乱を引き起こしている。

〝物〟や〝商品〟による豊かさを求める時代から、〝自由時間〟や〝活動〟による豊かさ、〝自然との調和〟を希求する時代へ、移行していくべきである。

第Ⅲ章

企業活動の重要な意義

1 搾取をなくすため、生産手段の私有は廃止すべき？ 廃止すればよい？

労働生産物（商品）の所有権について、「生産にかかわった労働者ではなく、生産手段の所有者が所有権を持つ」というのが資本主義の立場である。その立場から、労働者には生活費（賃金）を与えて、労働の成果（生産物）は資本家がすべて手中にするという形で、搾取が〝合法化〟されてきた。

一方、「生産手段の価値は（減価償却されて）労働生産物の中に価値として移されるが、新たに価値を創出することはない。労働生産物の価値を創出するのは労働である（労働価値学説）」というのが、『資本論』の立場である。ここから「働きに応じた報酬を」という、搾取を廃止する明確な主張が生まれる。これは、「生産者が生産物の所有権を持つ」という単純明確な主張である。

ただ、労働価値学説の立場から、「搾取をなくすためには生産手段の私的所有の廃止が必要」という結論が必然的に導かれるわけではない。それは論理の飛躍である。生産手段の所有ではなく、生産物の所有を問題にすればよいのである。にもかかわらず、マルクス主義をはじめ、多くの社会主義思想は、論理を飛躍させ、「生産手段の社会化（私的所有の廃止）」を根幹的な主張としている。私自身も、搾取をなくすためには、生産手段の私的所有を禁止すべきと考えていた時期があった。ソビエトにおいては、それが乱暴なやり方で実行されたが、搾取の廃止にはつながらなかった。

生産手段の所有主は、働かないで利益を得るのであれば搾取者になるが、所有主が生産手段の保全に労力を費やし、商品生産にも労力を費やすならば、それに応じた報酬が支払われて当然である。日本で数の上では圧倒的に多い中小企業の場合、ほとんどの場合が生産手段の所有主は勤勉な労働者でもある。

現在、農業においては、圧倒的多数の農民が、自分で所有する生産手段である農地において、過酷な生産活動をしている勤労者である。その場合、土地の管理と作物の生産活動は事実上区別することは難しい。作物を作り続けてこその農地である。今、全国で、耕作放棄地の原野化が大問題となっている。農地は生産活動をやめれば生産手段でなくなる。〝土づくり〟は生産労働でもあり、生産手段の維持活動でもある。

ソビエトや中国で進められた、一律で強引な「農地の国有化・公有化」がことごとくひどい失敗に終わったが、持ち主がいなくなった農地で、土壌の劣化が進んだことも理由の一つに上げられている（小島慶三『農業が輝く』ダイヤモンド社／1994年より）。自分の所有物としての土地を大事に管理するという農民の行為を、利己的な行為と評価するのは間違いである。生産機器の所有者が、機器を大切にする感情にも通じるところがあるだろう。自分の所有物を大切にするという感情に寄り添うことのない、強引で一律な「国有化・公有化」は、大きな生産性減退を招くのは自然な結果である。

繰り返すが、問題は、生産手段の所有権ではなく、労働生産物の所有権であり、搾取の廃止である。それは報酬の制度を整えることで解決可能である。すべての企業についての一律で性急な国有化・公有化は、するべきではない。個人企業で経営するのが良いのか否か、個々のケースに応じて検討し、試行錯誤しながらより合理的な経営ができる方向を探るべきである。不合理な経営が最終的に良い結果をもたらすことはないのであるから、国有企業、公有企業、私企業の共存状態を続けながら、より合理的な結果に落ち着くのを待つべきである。

搾取のない私的企業が、価値ある商品を製造・供給するために、多くの労働者を組織し、民主的な企業経営に成功することは、望ましい未来社会の実現にとって極めて大切な役割を果たすことは間違いない。

2　市場の機能、その活用とコントロール

一部の人々は、社会主義と市場経済は相容れないものであると誤解されているかもしれない。第Ⅶ章で議論するが、「20世紀社会主義」を代表する指導者スターリンが、ソビエトにおいて市場経済を否定し、すべての産業を国家統制型とする政策を強引に推し進めたことから誤解が定着し、国家統制型の計画経済が社会主義の代名詞のようになってしまった。しかし、マルクスの見解においても、資本論で展開された価値法則（労働価値学説）が社会主義においても基本的には貫かれるとされており、そこから「働きに応じた報酬」という原則が出されてくる。そして、この価値法則は市場の機能を反映した法則であるから、市場の機能が働くことが社会主義の前提となっている。

もちろん、経済活動を市場の動向に任すだけでなく国家の機能を生かして計画的に進め、生産や価格の調整を国家が行うということが、問題によっては必要である。そのような場合は、価値法則は修正されなければならないので、市場原理から部分的に外れることになる。ただ、このような市場原理からの部分的逸脱は、資本主義国と言われている我が国の経済活動でも、政策や規制によって常に生じている。また、独占資本が出現した段階で、独占価格が市場を制圧し価値法則が歪められるのも、市場原理からの逸脱である。

いずれにしても、私たちが望む新しい社会においては、市場原理は基本的には尊重されるが、すべてを市場に任せるのではなく国民の総意に基づいて必要な規制も加えられ、国民生活を豊かにする物資やサービスが潤滑に行き渡ることと同時に、利潤獲得を最優先する市場の暴走に対してコントロールの手段が備わっていることも必要である。

3　民間企業の重要性

資本主義社会で経済活動の主役は企業である。ほとんどの社会主義者が「生産手段の私的所有禁止」を掲げ、したがって民間企業は廃止されるべきものと主張している。私は社会主義を信条としているが、資本主義後の社会についても、民間企業の果たす役割は大変重要であると考えている。

繰り返し述べているように、問題は生産手段の所有形態ではなくて搾取の有無である。所有形態のいかんにかかわらず、搾取を廃止することも搾取を強化することもできる。

搾取のない企業が、基本的には市場経済の中で、労働者が能力を発揮する機会をつくり、その働く意欲を高め、質の良い商品やサービスを提供することで社会に貢献するというのは極めて重要である。「自由な商品開発」や「需要の掘り起こし」と言えば、私たちが聞き慣れた資本主義企業のスローガンではあるが、「人々の役に立つ新しい品物を創る」「人々の求めに応じて品物を創る」という事業はどんな時代でも大切である。多様な企業が存在していることは、国民の多様なニーズに応える道であり、国民生活をより豊かにしてくれるものである。

また、企業というのは働く人々のチームワークを育てるところでもある。世の中の役に立つために働きたいという意思を持つ多くの労働者を、その意思に基づいて組織する機能を持っている。すべての国民は社会に貢献することでその一員として生きていくために、労働する権利（もちろん義務も）を持っている（憲法27条）。その権利を行使するための制度として企業は、なくてはならない存在である。

民間企業を認めることが必要である理由を、あえてもう一つ付け加えるならば、人間の生物的？　習慣的？　特性として「自分の所有物にはより深い愛着を感じる」という感情である。公共物を粗末にしてよいというのではなくても、やはり公共物と私有物には抱く気持ちに差が生じるのは、現代人の大多数に共通することではないだろうか。衣類などの生活用品から住居の建物や土地に至るまで、ほとんどのものに所有権が認められている。土地は農産物を生産すれば生産手段になり、住居としている建物も、工房や店舗を兼ねている場合は生産手段でもある。このような状態の下で、生産手段の私有を一律に禁止するというのは、不必要で不自然な規制である。

もちろん広い世界には、私たちとは全く異なる感性で生活している人々がいることは知っている。例えば、あらゆるものに対して〝自分の所有物〟という意識が極端に薄い、共同体的な部族も存在している。所有物に対する感性も絶対的なものではなく、時代とともに変化していくものである。しかし、そのような変化は大変長い年月をかけて行われるものである。現代では一般的である「自分の所有物を大切にする」という感性は、尊重こそされ否定されるべきではない。

4　国有化・公有化すべき企業

私的な企業の重要性を述べてきたが、もちろん、国有化したり公有化したりするほうが望ましい企業は存在するし、特にぜひとも国有化すべきであるという企業も存在する。社会的な影響力が大きくて私的企業の不安定な経営では社会全体へのリスクが大きすぎるような事業、国の政策で安定的に運営しなければならないような事業、利益を目指した経営では本来の目的が達成できないような事業、事業内容から必然的に独占的にならざるを得ないような企業である。

（1）国鉄民営化（1987年）の意味　「優良搾取システム」JRの誕生

日本全国の隅々まで張り巡らされている鉄道網を持ち、住民に公共交通機関としてのサービスを提供していたのは、旧国鉄（日本国有鉄道）であった。新自由主義的政策を推し進める中曽根内閣によって1987年に分割民営化され、最終的に、一部は利潤を目的とした民間会社ＪＲや、第三セクターなどと呼ばれる地方自治体と民間の共同企業になってしまった。

本来、全国網の鉄道のような住民生活の根幹にかかわるような事業は利益を目的として行うべきではないのであるが、巨額の赤字を理由に民営化が進められた。赤字が国鉄職員の公務員としての勤務状態に原因があるかのような激しいキャンペーンが張られた。確かに、駅単位で労働条件を交渉するようなやり方から、一部で不適切な労使関係が生じていたことは報告されているが、赤字の主たる原因は、職員の勤務状態にあったのではない。民営化直前の状態では、累積債務は37兆円を超え、営業収入が3・5兆円であるのに対して、利子の返済額が1兆円を超えていた。このような負債は職員の勤務状態によって生じるような額ではない。破産状態に陥るほどの赤字は、新幹線や青函トンネルや本州四国連絡橋建設など大規模投資で急激に膨らんだ借金とその利子がその主たる原因である。民営化の3年前、旅客部門の単年度黒字を計上していることからも、それは明らかである。

赤字の原因が、大規模投資という国の政策にあったのは確かである。ということは、破産状態になったのではなく、初めからの戦略で破産させられたのである。次のようなストーリーが考えられる。

・本来ならば予算的に不可能であるような巨額の設備投資（新幹線や本州と四国の連絡線などなど）を国が矢継ぎ早に行い、赤字が大きくなり借金が返せないような破産状態を作った。

←

・赤字は公務員である国鉄職員の働きが悪いからである、特に争議行動を繰り返している労働組合が赤字の元凶であるとキャンペーンを張り、組合の弱体化を図る。さらに、国有だから経営感覚に乏しいと世論を導き、民営化を実現した。

←

・国鉄清算事業団という組織（1987年から1998年まで存在）を作り、ゆっくりと時間をかけて国民の批判を浴びないように、こっそりと焦げ付いた巨額の借金の大半を国民負担として清算する（事業団が解散した今も、国民の税負担は続いている）。

・大きな利潤を生む優良企業に生まれ変わった部分（本州の3つのＪＲ、ＪＲ九州は2016年から）は格安の値段で気前よく完全に民間に譲る。赤字経営のＪＲ四国、北海道は国の補助金で経営を維持する。また赤字脱却など全く見込めないが、廃止には抵抗があるローカル線は地方自治体に負担をかけ続けるような体制（例えば第三セクター方式）にする。

このような一連の流れの中で、誰が法外な得をしたのかを考えれば、戦略の意図が明確になってくる。一番得をしたのは、国民の負担でできた設備を格安で手に入れた超優良独占企業ＪＲである。特に、早々と完全な民間企業となった本州3社のＪＲ（東日本、東海、西日本）が手に入れたものは大きくて、笑いが止まらない状態であろう。笑いが止まらないのは、ＪＲの一般労働者ではなく、高額報酬を得ている役員と、巨額の配当金を手に入れている銀行などの大企業大株主である。

役員報酬については、ＪＲ東海の役員14人の平均年収は全国の鉄道会社の役員報酬の中で一番高く、5821万円（2017年）となっている。職員の平均年収の7・9倍であり、公務員である内閣総理大臣の報酬よりも高い額である。民営化のおかげで、公務員では得られないような高額報酬も可能となるのである。

また、大株主の大企業にとってこの上もなくうれしい税制度が、「受け取り配当益金不算入制度」である。大企業は他の会社の大株主となっている場合が多いが、そこから受ける配当金には法人税が優遇される。大企業大株主は、配当金という甘い汁を吸い続けることが未来にわたって約束されている。

国民に負担させて建設した優良な鉄道網の施設は、利潤獲得の手段として格安に民間に売り渡され、ＪＲ役員や他の大企業の高額報酬者に利益を提供し続けている。ＪＲのような大規模な施設を持った企業は、他に競争相手が現れる心配のない、安定的利潤を生み出す「効率の良い搾取システム」である。政府主導で、このような「搾取システム」を作り上げたことになる。

民営化が推進されるとき、よく「公営企業は経営感覚がないから赤字になる」と言われる。この主張はもちろん世論操作のためのものであるが、実は、皮肉な意味で〝真実〟である。国鉄が民間企業であり、正常な経営感覚を持っていれば、破産状態になるような巨額投資を短い期間に行うことは、株主が許さなかったであろう。国有であるから、ゆくゆくは民営化しようという意図をもって、生じた赤字は国民の税負担に回すつもりで、故意に赤字を作ることができたのである。国鉄としての経営感覚のなさは、実は、奥深い狡猾で醜い究極の資本主義的経営感覚、国民を収奪の対象としか考えていない少数者の策略である。

国鉄が赤字を覚悟で（というより赤字を目指して）大きな設備投資をすることを決めたのは、政府の提案に対して、国会でそれに賛成した議員である。国民は、国鉄の無謀な設備投資について直接判断を求められることも、承認を求められることもなかった。にもかかわらず、勝手に巨額の負債が国有会社にもたらされ、その負債の大半は国民の税金で処理されることになり、優良企業として生まれ変わったＪＲは、格安の価格で民間に差し出された。

国鉄は、性急で大きすぎる投資をすることなく、幹線の黒字が地方ローカル線の赤字を補い、採算の取れない不便な地域にも、安全な公共交通機関を提供する国有企業として存続していて何も問題がなかった。仮に、利用客のさらなる増加が見込まれる新幹線の整備が急がれるという政策的判断から、一時的な負債は国が支援し新幹線網を建設したとしても、格安で民間に譲り渡す必要はなかったはずである。そこから上がる利益で、赤字分を取り戻し、さらには、ローカル線の赤字を埋め合わせればよいのである。大きな利益を上げ、他の大企業に多額の配当金を提供するくらいならば、ローカル線の赤字を埋め合わせればよい。それでも利益があるならば、運賃を安くすればよい。大幅な赤字の累積は問題であるが、利益を上げることが目標ではなく、国民に必要な公共サービスを提供するのが目標である。小規模な赤字は税金で補えばよい。そのようなことができるのが、国有鉄道企業である。

民営化すれば独占企業として優良な搾取システムになることに目を付けた〝利潤の亡者〟のために、そしてそのおこぼれを狙っている政治家によって国鉄の優良な資産は食い潰された。順調に利益を上げることが見込まれていて、実際その通りになった本州3社のJRのみが早々と完全民営化され、JR九州は利益が上がりそうになってから完全民営化され(2016年)、利益が見込めない状態のJR北海道、JR四国は、未だに完全民営化はされず、国の支援で経営が維持されている。また、清算事業団に負わされた25兆円を超える負債は、清算事業団が解散された今でも、国が税金で毎年1兆円を超える額(元金分4000億円、利子分6600億円)の借金返済を続けている。大雑把に言えば、国民の税金で民間企業JRの利益を保証しているようなものである。

全国に張り巡らされた鉄道網のうち、黒字が確実な部分は民間に譲り、一部の人間に法外な利益を提供し、赤字の部分は国民負担で経営を維持している。この姿が、国鉄民営化の本質を何よりも物語っている。

最後に、少し注意したいことがある。4社のJRが完全に民営化されているが、この民営化は「ご都合主義的民営化」になるかもしれない。どういうことか。順調に利益を上げている間は完全に民営であるが、災害列島・地震大国の日本であるから、どのような災害に見舞われるかわからない。とんでもない額の被害が生じて、経営が困難となったとき、政府はこんなふうに言い出すだろう。「JRは潰すわけにはいかない、国民生活に極めて重要な存在である。費用が何十兆円かかろうとも、国が肩代わりして、復興させなければならない」と。

今、東京電力に対して採っている政策が、まさにこのようになっている。利益が上がっているときは民営で、民間で手に負えない損害が生じたときは税金で、という利益の亡者のための〝ご都合〟で振り回される。潰すわけにはいかないような重要な事業は、最後は国が支援をしなければならないので、最初から国有企業にしておくべきなのである。

(2) なぜ東京電力は民間企業のままなのか

電力会社なども、国有化すべき企業の代表であろう。電源開発には超巨大な設備が必要であり、電力の安定的な供給は国民生活にかかわる重要な課題であり、そのような事業であればこそ、利潤追求を第一に考える事業にはふさわしくないからである。

1886年から1938年までは民間事業として、1939年から1951年までは国営事業として電力開発は進められた。1952年からは地域分割の独占企業（当初9地域、沖縄を加えて10地域）として民営化された。分割民営化という意味では、国鉄のさきがけでもある。分割されることで、地域間の電力のやりとりの不便さ、周波数の不統一の固定化などの問題点解決が難しくなった一方で、10社の電力会社は完全な独占企業として、莫大な利潤を安定的に生み出す〝超優良企業〟として育った。

近年の新自由主義的政治潮流の中で、「自由競争で電気料金はもっと安くなる」という掛け声とともに、2014年に電気事業法の一部改正が行われ、部分的自由化などの方向が出された。10社の独占状態は問題であるが、それを自由競争によって解決しようというのは、さらに別の問題を付け加えるものである。実際、電力事業のような巨大な設備投資が必要な事業では、部分的な自由化を認めたとしても、独占的な状態を根本的に変えることはできないだろう。そして、繰り返すが、このような企業は安全・安定を基本として国民に安心を約束する企業でなければならないのであり、利潤追求のために市場原理による流動性（言い換えれば不安定性）に委ねてはならない。

そもそも民営化を推進する論拠は、国鉄の場合も同じであったが、「国有の場合は職員の職務怠慢がはびこり、効率的経営の努力をしなくなる」というものである。電力事業の場合も、この論拠は、国鉄の場合以上に説得力がなく、完全に嘘と言わなければならない。民営化された電力会社には、国の法律（電気事業法）で利益が保証されており、民間経営の厳しさにさらすことで効率的経営の努力を促すことなど、初めから目指していなかったからである。

電気事業法18条3項一は次のようになっている。「……（電気料金は）能率的な経営の下における適正な原価に適正な利潤を加えたものである」。法律で、確実に利潤が確保できるように価格を設定せよと定めているのである。こんな楽な経営が許されている企業は、資本主義的民間企業とは言えない。国有企業のことを「親方日の丸」と揶揄するならば、電力会社は、利潤獲得に関してのみ「親方日の丸」である。国に利潤を保証された企業でありながら、利潤は株主に配当され、また公務員ならば得られないような高額な報酬が会社役員に与えられるところだけが〝民営〟である。このような民間企業の存在意義は、一部の人間の搾取手段である以外、何の意味もない。このような民間企業は、もはや資本主義企業というより、「国家の機能を利用した安定的で効率の良い搾取システム」と言うべきである。ただ、東京電力は、現在、東日本大震災による被害によって株価は下がり、世論を意識して配当金を自粛している（２０１８年）。

本来、民間企業ならば、震災被害による損失、廃炉の費用、住民に対する損害賠償など、負担の大きさからとっくに破産しているはずであるが、倒産していないのは、業務内容が住民生活の基本的な部分を担っているからである。電力が止まれば、国民は生活できない。経営上、東京電力の企業としての公共的側面は、東京都が少しだけ株式を持っているというこことだけであるが、果たしている社会的役割は民間企業に負わせられるような軽いものではなく、国の責任で果たすべきものである。実は、震災後の東京電力に対する政府の対応が、はからずもそれを証明している。

原子力発電所の事故処理について、廃炉処理や賠償金などが当初の見込みを大幅に超え

22兆円に膨れ上がったことが、驚きのニュースとして報道された。それは一民間企業で負担できる額ではないことから、政府は、国が肩代わりをせざるを得ない（つまり税金で負担する）という方向を出してきている。損害額の当初の見積もりのいい加減さを考えれば、その額が何倍に膨れ上がったとしても何にも驚くようなことではない。〝想定を超える〟額になったというのは、聞き飽きた言い訳である。現在の22兆円という見積もりについても、根拠はなく、そのうちに大幅に膨れ上がった額が提示されても不思議ではないと思っていたら、案の定、民間のシンクタンクである『日本経済研究センター』が、22兆円は極端に低く見積もりすぎであるとして、81兆円という数字を出してきた（２０１９年）。この数字ならば、当初の見積もりの約10倍である。

数字論争をするつもりはないが、そもそも補償することなどできない大きな被害が出ているのである。廃炉作業の期間も費用も全く見通しが立っていない。放射能に汚染され、長期にわたり人が立ち入ることができなくなった広大な地域と、そこに住む人々の生活を奪ったことをどのように補償できるというのだろうか。まじめに補償を考えれば費用はいくらでも増える。逆に22兆円や81兆円で終わってしまうほうが問題である。本来は計算不能、お金をいくらかけても元に戻せないので無限大というべきである。政府は22兆円ぽっきりの誠意しか持ち合わせていないということでしかない。

それはともかく、22兆円（では済まないだろう）の負担は東京電力には手に負えないものである。そして「東京電力は電力供給会社として潰すわけにはいかないから、税金を投入して助けるしかない」と言われ出す。まさにそうである。国民生活に深くかかわり、潰すわけにはいかないような会社である。そのような企業が民間企業であったことが間違いであった。国民生活に直結していて潰すことのできない企業は、国営・公営にすべきである。「東京電力だけでは手に負えないから税金でまかなう」と言った時点で、「それは国営企業にすべきである」と表明しているのと同じである。

今からでも即時に東京電力を国有化すべきである。事故処理などの費用は今の東京電力の持っている処分可能な資産をすべて使ってもなお大幅に不足するだろうから、やむを得ないので国費を投入する代わりに、職員もすべて公務員とし、利潤を目指さない国有電力供給企業として再出発すべきである。ゆめゆめ、事故処理などの費用だけは税金で負担させ、その後、また利潤追求の「搾取システム」として存続させることだけは、許してはならない。しかし、それを目指しているのは間違いない。こんなにおいしい「搾取システム」を一度味わえば、簡単に手放すわけがないからである。電力事業は利潤追求の道具にしてはならない。利益が上がるぐらいならば、電気料金の引き下げで国民に奉仕すればよいのである。見えるのは「利潤の亡者達」とそれに群がる政治家の醜い姿である。

もちろん、以上の議論は、他の9つの電力会社についても同じことである。関西電力も、「汚染と腐敗に充ちた搾取システム」であることが、最新のニュースで取り上げられている（2019年9月）。詳しい全容の解明は終わっていないが、高浜原子力発電所にまつわる汚い「原発マネー」が、原発反対運動を非常識な手段を平気で使って力で抑え込むことができる「地元有力者（高浜町元助役）」を媒介として、地元建設会社、関電幹部、政治家にぐるぐると回されていたことは間違いない。実際、閣僚や元閣僚であった自民党幹部政治家には、関西電力汚職で中心的役割を果たした企業からの政治献金が渡されている。

政府は、短期間でどのような調査をしたのか、異例のスピードで「調査の結果、他の電力会社では関西電力のようなことはない」と声明を発表したが、搾取システムに群がる国会議員で作っている政府の声明など信用できるはずがない。最近の政府（安倍内閣）の手法の特徴から読み取れることは、「……関西電力のようなことはない」と発表して、「……（ないのだから）これ以上調べるな」と、官僚たちに忖度を強要しているのである。

優良国営企業であった電電公社を民営化したのも、郵政を民営化したのも、基本的には「国民に負担をさせて作った企業を手に入れ、利潤を得る」という動機からのものである。そして、つい最近も、異例の短時間審議で、問題点の議論が不十分のまま、野党の反対を押し切って、水道事業に民間が参入できる道を開く「水道法改正案」が国会を通過した（2019年）。水道事業のうちで、利潤を生み出すおいしい部分を民間に渡し、赤字部分を自治体と住民に押し付ける、使い古された方法で「搾取システム」を作るための布石が打たれたと警戒しなければならない。水という生活にとって必要不可欠なものだからこそ、その利権は「極上の搾取システム」を約束してくれる。どんな狡猾な手段で進めるのか注視し、〝おいしいところの食い逃げ〟は、中止させなければならない。

5　職場に民主主義を

企業の在り方について議論してきた。資本主義社会で経済活動の中心的役割を果たしている企業は、資本主義後の社会においても、搾取のシステムという側面を取り除き、経済活動の中心的役割を果たす存在として、社会全体で大切に育てていかなければならない。

生産施設・生産手段が個人所有の企業であっても、企業内民主主義を成熟させることで、社会に貢献する、搾取のない企業としての意義は大きい。利益の分配について、賃金のみならず、研究開発費や増資分や内部留保の額も含めて、社員全体で経営方針を決める体制を工夫することで、そのことは可能となる。要するに「企業の利益はすべて企業活動のために労働した全社員の利益であり、その利益は基本的には働きに応じた報酬として社員に分配される」という点を制度化すればよいのである。

とは言え、民間企業で搾取を完全になくすためには、数々の高い壁を乗り越えなければならない。起業にあたっては、都市銀行の役割や株式会社システムは、資金調達において絶大な力がある。これらの力を借りずに民間企業として生き残ることは考えられないが、現在のままでは、これらの力を借りるというのは、利子や配当金という〝不労所得〟の形での搾取に甘んじることにもなる。資金調達機能において優れてはいるが不労所得と一体の制度を内包しながら、社会全体としては搾取を限りなくゼロに近づけるためには、税制度など他の社会政策を合わせて整備しなければならない。

細かい議論はここでは差し控えたいと思うが、日本の法人税制度は根本的に改めなければならないと考えている。株式の配当金を出す前の法人の利益に法人税をかけることで、配当金を受ける側（富裕層や大株主企業）に対して、税金を大幅に優遇する制度（配当益金不算入の税制度など）を〝正当化〟しているからである。このような税の優遇措置は、超富裕層や大企業を利するのみで、格差拡大の大きな原因になっている。極論を言えば、そもそも企業の利益のすべてが、企業活動に携わった人間のものであるとすれば、そしてそのことが制度的に確立すれば、税は個人に対する所得税だけでよいはずで、法人税は必要のないものである。

民間の企業が社会に貢献する存在として尊重され、育てられなければならないことを改めて強調したが、その一方で、電力事業や水道事業や郵便事業、利用客の少ない地域も含めた全国網鉄道事業など、利潤追求を求める経営にそぐわないような事業は国営化または公営化すべきであることも述べた。

国営企業、公営企業、民間企業が共存しながら、労働者からの搾取をしない企業がより良い商品・サービスを、環境にも十分配慮した形で消費者に届ける、というような状態を続けていくべきである。そして、現状についてよく議論し、賃金のシステムはこれでよいのか、経営の形態はこれでよいのか、増資はどのようなやり方で行うのか、企業内の民主主義は機能しているのか、企業はどのように社会に貢献しているのか……などの点について常にチェックし、試行錯誤を繰り返し、より合理的な形態を求めていくべきである。最終的な形が決まっているわけではない。すべての構成員が常に意見を出し合って試行錯誤をしながらたどり着くところが、最良の到着点である。

一昔前には「企業内に民主主義はない」などと言われることがあり、少なからず企業は「企業戦士」がひしめく上意下達の社会であると言われていた。よく考えてみれば、そのような風習に慣れ親しんでいる人物が、国の政治に関して民主的になれるはずはない。民主的な協議によって合理的な経営方針を持った企業が、非民主的な企業を凌駕し、企業経営においても民主主義が大切であることを実証していくことは、極めて重要である。民主主義に向かうべき歴史で逆流が目立っている今、そのことを痛切に感じる。

私事になるが、教育の現場でも同じような問題が提起されている。民主教育が最重要課題の一つとして尊重されていた１９８０年代頃までは、学校の方針は、決して十分とは言えなかったとしても基本的には民主的に決められていた。平等な立場の全職員の議論による職員会議の決定が最も尊重されていた。今は多くの教育現場で職員会議の地位が低められ、職員の民主的な合意で教育活動を進めることが尊重されなくなっている。管理職の恣意で左右される不合理な給与昇給制度が作られ、管理職や中間管理職的な職が次々と増やされ、そして職場の管理職（校長など）の人事は上級の機関（教育委員会）に握られ、その教育委員は地方公共団体の長（知事など）によって任命されている。私が所属していた地方公共団体では、教育委員会組織が〝とんでもない階層社会〟であることは、一般教職員の間では常識となっていた。職場の管理職の多くは知事の指導下にある教育委員会の顔色を窺い、少なからず職員は給与と昇進を握られている管理職の顔色を窺い、職員は分断され、自由に意見を出し合える機会がどんどん少なくなっている。

第Ⅳ章
環境問題で問われていること

1　生産性向上と環境問題

公害と呼ばれていた、目に見えるひどい環境破壊が日本全国で引き起こされていた時代があった。大気には煙と有毒ガスが蔓延し、河川や港湾は悪臭を放つ〝ヘドロ溜まり〟となっていた。まき散らされる亜硫酸ガスは喘息患者を急増させ、垂れ流される有毒な工業排水はイタイイタイ病や水俣病などという、人類がそれまで経験したことのない重篤な症状を持つ患者を大量に生み出してしまった。たくさんの人がそれらの公害病で亡くなり、たくさんの人が現在でも苦しんでいる。

公害に対する住民の反対運動が、命と健康を守る運動として大きな展開を見せたのは当然のことであった。賠償を求め、公害を垂れ流した企業の責任を追及する多くの訴訟は、公害との因果関係をごまかし、責任逃れに終始する企業や政府との長期間の苦しい裁判闘争を経て、公害問題の解決にとって大きな役割を果たした。また、どちらかと言えば企業主導の産業開発を推進し、企業側の利益を代弁していたような自治体に代わり、東京都、大阪府、京都府などの「革新自治体」が多く誕生した。

このような運動の結果、煙や有毒ガスが蔓延した大気も、ヘドロ化した海や河川も見当たらなくなった。目に見える形の公害を垂れ流す企業は、日本社会から認められなくなった。しかし現在、地球環境はかつてなく危機的な状態になっている。それは、現在の環境破壊が、誰の責任なのか追及しにくい形で、しかも地球全体に大きな影響をもたらす形で進んでいるからである。

例えば、地球温暖化は、大気中で二酸化炭素などの温暖化気体が増えることで引き起こされているが、このことの責任を、公害問題のときのように、どこか特定の企業のみに押し付けるわけにはいかない。すべての人に同じような責任があるというのではないとしても、化石燃料を利用しているすべての人が二酸化炭素を増加させているのは否定しようのない事実である。また、最近やっと、環境に放出されたプラスチックゴミが特に大きな問題として取り上げられ出したが、多くの国民は今までプラスチックを使用することが環境破壊につながることであるとは考えてもいなかっただろう。そしてプラスチックは現代社会の中でこんなにもありふれた存在になってしまっている。

「みんなが悪いからみんなが気を付けましょう」という呼びかけは、しばしば効果のない薄っぺらな運動になってしまう。もちろん、最終的には消費者であるみんなが問題を理解し、環境問題を起こさないような消費生活を目指さなければならない。しかし消費の前に生産を考えなければならない。消費することで環境問題を起こすような商品ならば、その生産について制限をかけなければならない。さらに、社会全体の生活様式を根本的に考え直し、化石燃料や自然の物質循環に調和しない化学的合成物質に依存している状態を問題としなければならない。個人や個々の企業の問題ではなく、社会政策としての取り組みが大きく遅れていることを問題としなければならないのである。

なぜ、政策的対応が遅れているのかを考えると、現代社会の問題点がより鮮明となる。二酸化炭素の排出量世界一（1人当たりの量）の国の大統領が、「地球温暖化はフェイク」であると公言してはばからない現状、唯一の被爆国であり、さらに最も深刻な原子力発電事故を経験した地震大国で、未だに原子力発電政策が推し進められようとしている現実は、環境対策の遅れをもたらしている〝愚かさ〟の象徴である。

このような、誰の目にも明らかな〝愚かさ〟はもちろん批判されるべきであるが、そのような批判で問題が解決できるほど簡単ではない。環境問題は、「経済成長」「生産力の向上・生産性の向上」「大量生産（大量消費）」という、多くの人が肯定してきた価値観について、改めて「本当にそれでよいのか」と、検討を加えることを求めている。GDPやGNPの成長が繁栄の証であるとして、それを追い求めている現代社会の価値観に対して、今まで通りに成長を続けていくことが可能なのか、ゼロ成長であって何が悪いのか、根本的に考え直さなければならない。

同じ生産額・消費額であっても商品の質を改良することで人は豊かさと利便性の向上を手に入れることができるはずである。大量生産（大量消費）によって庶民に物質的豊かさがもたらされたのは事実であるが、そのことが地球環境に対して大きな負担をかけてきた入っている。

のも事実である。もうこれ以上大量消費を追求せず、求める豊かさの質を変える時代に入っている。

生産力が高まり生産性が上がっても、それが労働時間の減少にはつながらず、したがって、商品の大量生産が延々と続けられ、価格競争による大量消費が煽られている。搾取をやめない限り購買力が上がらず、生産過剰の不況が避けられないのは本書の「特別章」で議論している通りである。このような人間社会内の矛盾に対して、今までは、大きく分けて二つの考え方が対立的に存在してきた。

一つは、矛盾をものともせず今までの道をさらに突き進む立場である。技術の進歩を商品の品質向上とコストダウンや新商品開発につなげ、消費意欲をさらにかきたて、あるいは輸出を増加させることで自国の不況を突破しようという立場である。もちろん、この立場は現在の矛盾をさらに深め、また、自国の不況を外国に〝輸出〟し、矛盾を世界中に広げるものでしかない。環境問題を押しとどめるのではなく、より激しくすることになる。

もう一つの立場は、搾取をなくすことで消費者（労働者）の購買力を高め、労働者を豊かにすることで不況を克服しようとする立場である。旧来の社会主義の考え方はこの立場であり、搾取廃止という意味では有意義なものであるが、現代の環境問題の解決につながる考え方が、この立場から必然的に導かれるわけではない。この立場からは、「環境問題は搾取者の利潤追求第一主義が原因である」として、搾取者の利潤追求に批判が向けられるが、それ以上の主張は出てこない。

これらの、どちらの思想的な立場からも、生産力の向上や、生産性向上による大量生産大量消費という物質的豊かさを限りなく求めることに対する批判的検討は出てこない。私は、搾取の廃止を、新しい未来社会づくりの原則にすべきであると主張してきた。しかし、今日の地球環境問題のためには、それだけでは不十分であり、さらに新しい考え方が必要であると考えている。それは、人間社会内部の矛盾（搾取がその代表）と同時に、矛盾を内包した人間界と人間以外の自然界の矛盾という、二重の矛盾を総合的に解決することを目指した考え方である。

2　二重の矛盾としての環境問題

（1）生産力の内部にある矛盾を分析する方法論を

生産力は「自然を改造する力」であり、その向上に批判を向ける考え方は、厭世的または反文明的思想と見なされることが多く、歴史上、多数派を形成することはなかった。

資本主義に対して最も批判的な立場をとっているマルクス主義の立場においてさえ、生産力自身に矛盾が存在していること、つまり生産力内部に自然破壊力が混在していることに注意を喚起する考え方は育たなかった。せいぜい「環境問題は、資本が利潤追求のために環境対策を怠り引き起こされたものである」との認識で止まり、むしろ、生産力の増大は人民大衆に豊かさをもたらす前提として歓迎されることであった。そして、生産力や科学技術の知識はそれ自体に問題があるのではなく、要はその利用の仕方が問題であるとされてきた（私自身もそのような認識にとどまっていた時期があった）。

その結果、原子力発電が「原子力の平和利用」と期待され、フロンガスやＰＣＢ類まで夢の化学物質として称賛されてきた歴史がある。また、自然界に無造作に放り出されると物質循環を破壊する厄介な物質であることにやっと警鐘が鳴らされ始めたプラスチック類は、今でも極めて利便性の高い物質として広く利用されている。遺伝子操作で、自然界では存在しない生物を生み出す技術さえありふれたものになっている今日、生産力やそれを支える科学技術の内部に潜む自然破壊力を排除する視点を持つことなく、「科学技術や生産力自身に問題はなく、利用の仕方の問題である」と済ますことの罪は無視できない段階に到達している（雑誌『えんとろぴい』第36号／１９９６年の「経済学の生産力概念と環境問題」より）。

自然科学の真理の中に、例えば、物理の法則の中に害悪な部分があるなどという荒唐無稽な議論をしているのではない。ただ、人間が解明した自然科学の真理や法則の体系は、自然そのものではなく、人間の描いた〝自然の像〟であることを忘れてはならないということ、そして人間の描いた〝像〟であればこそ、矛盾や問題が内包されていることに注意しなければならないということを述べているのである。

科学的真理や技術は孤立して存在しているのではなく、自然界にはその分野ごとにまとまった知識の体系として存在している。人類が誕生する以前から、自然界にはその（発展変化の）法則が人間の存在とは独立に存在していた。それらの法則の中で、人類は自分の活動に近い部分から順番に発見し、それを再編集して、科学や技術の体系を構築してきた。「電子と言えども汲み尽せず」（レーニン『唯物論と経験批判論』１９０９年より）と言われるように、自然界は奥深く底知れない存在であり、現在人間が解明した法則が自然界全体の中でどれだけの部分を占めるのか、推測することさえ不可能である。

しばしば、「自然は階層的構造を持っている」と言われる。日常の世界から小さいほうには、分子・原子レベルの世界、原子核レベルの世界、素粒子の世界……また大きいほうには、地球レベルの世界、太陽系レベルの世界、恒星の世界、銀河の世界、銀河団の世界……というように階層的構造になっていて、それぞれの階層にはその階層特有の法則によって特有の現象が起きているという考え方である。この考え方を否定するわけではないが、階層的になっているのは、実は自然界のことではなくて、人間の認識能力であるという肝心なことを忘れてはならない。自然界は常に全体として一つのものであり、自然を構成する部分同士が相互作用し合いながら変化している状態である。その存在の有り様は、ひっくるめて〝自然の法則〟としか表現のしようがないものである。

例えば、日常世界の物質の運動理論が「力学」、分子原子レベルの理論が「量子力学」、素粒子レベルの理論が「素粒子論」というように体系的に整理されている。これは、全体としての自然を丸ごと認識することができないので、部分的な認識を一つ一つ積み重ねていくことに頼らざるを得ない人間の認識能力の限界から、そのようにされているだけである。

人間の認識という行為は、鏡のように認識対象を単純に忠実に反映するのではなく、対象に働きかけて対象との相互作用をしながら対象の性質を理解するという、極めて実践的な行為である（戸坂潤『科学論』青木書店／1973年、戸坂潤『認識論』青木書店／1974年より）。実践できる身近なところから対象に働きかけ、一つ一つ自然の性質を理解するのが、階層的な自然認識法であり、それは、表現を変えるならば、人間の認識能力が自然全体の前ではいかに小さいものであるのかを謙虚に表明しているものである。もしも〝自然〟という〝神様〟がいるならば、「私はそのような階層などに分かれてはいない。私は私（まとまった一つの存在）でしかない」と言うであろう。

最近話題となっているのが、重力波（大きな質量を持つ天体が激しく運動するときに発する波）による宇宙観測である。最初は肉眼で星を見るだけが人類の宇宙認識方法であったが、光学望遠鏡が発明され、さらにその性能が飛躍的に高まりより遠くの天体の観測が可能となり、したがって、より昔の宇宙の状態を知ることができるようになった。可視光線以外の電磁波（X線、赤外線、より波長の長い電波……）の望遠鏡が開発され、光で見える宇宙とは異なる宇宙の姿も知ることができるようになった。光で見える宇宙、X線で見える宇宙、電波で見える宇宙……は人間が切り取った一つの宇宙の様々な側面である。そして最近、重力波による宇宙観測が、宇宙の全く別の側面を教えてくれるようになった。このように、宇宙という一つの存在の様々な側面を切り取り、そしてつなぎ合わせて一つの宇宙像を作り上げていくのが、人間の認識方法である。

要するに、科学や技術の体系は、自然全体から人間の認識能力と関心に基づいて部分的に切り取られ整理された知識を集積総合したものであり、時代と社会に制約された〝人間が創造した自然の像〟である。自然そのものではなく、それが本来の自然とどれだけかけ離れたものであるかどれだけ近いものであるか、全体を知ることができていない人間には知る由もないのである。もちろん、このような認識行為を限りなく繰り返すことで自然の全体像に限りなく近づけることは確かであるとしても、ある一つの時代の認識は、あくまで〝途中段階〟であることを忘れてはならないのである。

古代人がこの世界をどのように見ていたのか知ることができる数々の遺跡がある。私たちは、それらから、古代人の発想の豊かさに感銘を受けると同時に、古代から現代に至るまでの認識の進歩、つまり科学の進歩の跡を確かめることができる。３０００年後の人類は、もちろん現代とは比較にならないほど豊かで広範囲で精密な自然に関する知識を持っているだろう。３０００年後の人類が、現代の我々の世界像を歴史的遺産として見たとき、私たちが３０００年前の人々の世界像を見て感じたのと同じような感想を持つことは間違いないであろう。

全体としての自然の法則は、人間とは独立して存在し、すべての人に中立で公正なものであるが、歴史の一段階で出来上がった科学の体系には、人間の営みの影響が色濃く刻まれている。なぜ、産業革命時に力学や熱力学や機械工学の分野で発展があったのか、原子力（原子核反応）の研究が進んだ背景にはどのような時代と社会からの要請があったのか、全国に石油化学コンビナートが作られた時代と高分子化学の発展が対応していたこと、そして、現代はＩＴ産業が栄え情報科学が重要視されていること、などを考えてみれば理解しやすいだろう。

自然の中でどの部分の法則に人間が関心を持ち、どの部分には無関心であるかによって科学の体系は形を変える。自然全体ではなく自然の一部を切り取っているものである限り、科学の体系がそのようなものでしかない限り、切り取った部分が誰かにとって都合の良いものであっても誰かにとっては不都合なものであるということは十分あり得る。ＰＣＢの製造が開始されたときは、ＰＣＢが工業的にいかに優れた物質であるかという側面しか科学として体系化されていなかったから、安定で高温でも分解しない理想的な物質としてもてはやされた。自然の一部しか認識できていない人間、ＰＣＢの一側面しか認識していない人間が、ＰＣＢの利用価値をいち早く活用しようとした人間の欲望に駆られて、長期間にわたって有害なＰＣＢを地球上にまき散らしてきた。地球のオゾン層を破壊し続けるフロンも同じであった。自然の法則の一部しか認識できていない人間の傲慢さが招いた地球環境破壊である。

その時代に財力や権力を自由にできる人たちは、自分たちの不利益になるような分野ではなくて利益になるような分野の研究に財力や権力を使う。このようにして真理探究が積み重ねられて出来上がった〝体系としての科学〟が生産力を発展させる源になっている以上、「科学や生産力そのものには問題はなく、使い方が問題である」などと片づけることはできないのである。科学の体系は使い方を反映して出来上がっているのである。

原子力発電の技術は、効率良く大きなエネルギーを生み出す「原子力の平和利用」として肯定的に評価されていた時代が確かにあったが、東日本大震災や、度重なる事故によって、避けられない小さな人為的ミスや自然災害がきっかけでとんでもない被害をもたらすことが誰の目にも明らかとなった。また、核燃料廃棄物の多くは無害となるまで気の遠くなるような時間がかかる放射性物質であり、事実上人間の手に負えない代物であることは最初からわかっていた。ＰＣＢや、フロンガス、環境ホルモンと呼ばれる多くの化学物質も一度地球に放出されれば、人間の手に負えない、自然の物質循環を破壊し続けるものである。今や、私たちにあまりにも身近な存在となっている石油化学製品プラスチックも、自然界で生態系と調和する循環システムを持たないものが多い。特に劣化し微細粒子となったプラスチックは、人類を含め地球上のあらゆる生物にとって大いなる脅威となっている。微細粒子となり拡散されたプラスチックは回収のしようもない、人間の手に負えない存在となってしまったようである。私たちが生産力として評価しているものの中には、このような自然破壊力が混在しているのである。生産力に潜む自然破壊力を排除する視点を確立する必要がある。

生産力の中の自然破壊力を取り分けるというのは、人間を含む自然全体と自然の一部である人間との間の矛盾を分析することでもある。人間は自然の一部であり、安定を保ちながら緩やかに変化する自然に保護されて繁栄し続けてきた。自然の恵みを享受し、また自然を改造して自らの生活を豊かにし、生産力と呼ばれる自然改造力をも大きくしてきた。人間の歴史は、自然改造力の発展の歴史でもあった。人間が大きな自然改造力を手に入れたとき、もともと潜んでいた「自然と人間の矛盾」が表面化してきた。安定した自然の中で発展した人間が手に入れた自然改造力が、安定した自然を壊し始めている。

先に紹介した小論文「経済学の生産力概念と環境問題」では、〝生産力やそれを支える科学は、環境問題に関して中立的な存在でありそれ自身には問題がない〟と片づけられてきたことに異を唱えたものである。巻末の付録3に載せているので、引用が多く読みづらい文章であるが、読んでいただければ幸いである。

(2) 矛盾の二重構造　人間界内部の矛盾・人間界と自然界の矛盾

人間社会の歴史を「階級闘争の歴史」(マルクス『共産党宣言』1848年より)ととらえる歴史観がある。しかし、環境問題はそのような歴史観の枠組みからはみ出している。階級闘争の歴史観からは、せいぜい「資本の利潤追求が環境問題の原因である」という、重要ではあるが〝部分的に正しい〟としか評価できない結論が導き出され、環境問題の解決ではなく、部分的緩和策が提示されるにとどまる。

環境問題の一番深い層には、「人間の営みは安定した自然環境の下でこそ可能であるにもかかわらず、人間の営み(自然改造力)が自然の安定を壊してしまう」という矛盾がある。これは、自然の一部である人間と、全体である自然の間の矛盾である。ここで言う人間(界)とは、階級社会であるか否かにはかかわりがない。例えば、搾取する人も搾取される人もなくなったとしても、社会全体の二酸化炭素放出量を画期的に減らすことができない限り地球温暖化は進み、今のままプラスチックなどの自然界の物質循環に合わない人工的物質に依存した生活様式を続ける限り地球の物質循環の調和は破壊され、最終的には破局に向かう。また、原子力発電を今すぐやめない限り、ひたすら破局へのリスクを高めることになる。

V・G・カーターとT・デールが、人類の過去の文明の隆盛と滅亡について研究した結果をまとめた労作『土と文明』（訳：山路健／家の光協会／１９７５年）で主張していることは、現代の環境問題を考える上でも大変示唆に富んでいる。「戦争や社会の構成員の対立といった人間関係における矛盾は、社会の歴史的変化の原因にはなっているが、社会の変化にもかかわらず土壌の力が保存されている場合には、一つの文明社会が別の文明社会に取り換えられただけであって、文明自身の滅亡の原因にはなっていなかった。太古の昔から様々な生物の活動によって蓄積されてきた土壌の力を収奪してしまったとき、その地域は不毛の大地と化し、文明自身が滅亡した」という主張である。ここで言われている、〝土壌の力〟という言葉をそのまま〝安定した地球環境〟という言葉に置き換えてみれば、私たちが直面している環境問題そのものになる。

そして、自然と向かい合う人間社会が内部に矛盾を含んでいる場合、人間と自然の間の本来的な矛盾が増幅される。資本が利潤追求のために、環境対策を節約し（怠り）、また生産力の中に潜む自然破壊力を顧みることなく、生産力（自然改造力）の拡大のために血道を上げることで、環境問題がより急速に深刻で大規模なものとなる。

普遍的に存在する人間と自然の間の矛盾と、時代によって特徴的に存在する人間社会内部の矛盾が重なることで、環境問題は引き起こされている。このように二重に重なった矛盾として、環境問題はとらえられなければならない。

搾取が廃止され、利潤追求競争から解き放たれた社会では、人間社会内部の矛盾が緩和される分、環境問題解決の課題に立ち向かいやすいはずではある。しかし、人間社会内部の矛盾が解消されても、環境問題の解決への道が自動的に開かれるわけではない。

(3) 自然と調和する人間の営みとは

人間は、外的な自然と相互作用しながら、それに働きかけ、それを少しずつ変えながら、自然の物質循環を利用し、あるときは人間が独自に作り出した物質循環も部分的に付け加えながら、生存してきた。これからもそうするしかない。いわば、安定を壊さない程度に〝少しずつ自然を壊し〟、一つの安定した自然を別の安定した自然に変えながら、生存してきたのである。このような人間の営みが永続性を得るためには、自然との調和を目指す以外にはない。

この場合の調和とは、人間の営みで生じる〝やむを得ない自然破壊〟が、自然のシステムによって補われ、元の姿に戻る程度の小規模でゆっくりとしたものに収まるようにすること、また、人間が独自に作り出した物質循環が自然の物質循環とうまく溶け合い、自然の部分的な改造が自然の根幹部分の機能を壊すことのないようにすることである。
２０００年以上も続いている日本の水田稲作のシステムは、同じ作物を同じ場所に栽培し続けていながら、永続性を獲得している、世界でも稀な調和的農業である。化石燃料と化学物質（農薬など）に対する依存度が小さかった頃の水田稲作システムは、貴重な調和の成功事例であった。水田もその周辺の里山も、自然そのものではないが、人間が手を加えながら維持され、自然のシステムを壊すことなく人間にコメという生産物を永続的に提供し続ける存在となっていた。自然を少しだけ破壊して作った水田は、自然と見事に調和して、あたかも自然の一部であるかのような存在となっていたのである（小島慶三、全国小島塾『文化としてのたんぼ』ダイヤモンド社／１９９６年の「農の目で現代社会を見る」より）。

自然界に存在しない人工的な物質を生成する場合でも、それがいかにして自然に戻るのか、生成と分解の循環を見届けて製造しなければならない。ＰＣＢやフロンは物質循環を見極めることなく製造し、害悪が顕著となった物質の代表である。製造中止にするのが遅すぎた。

原子力発電は、原子核反応から生じる有害な放射性物質の寿命はとてつもなく長く、大雑把に言うならば「循環などしない、半永久的に害悪となる放射能を出し続ける核のゴミ」を貯め続けるような営みである。そんな核のゴミの受け入れを喜んで希望する地域はなく、最終処分場の確保もできず、仮の置き場に貯まり続けている。最悪の自然破壊物質を生むのが原子力発電である。

すべての科学技術を総動員して、人間が作り出した人工的物質の物質循環システムが自然のシステムと調和するか否か見届け、「調和しないものは作らない、使わない」ということを原則とすべきである。このようなことは、個人の力でできることではなく、日常生活の心がけでは対処できない。「環境問題はみんなの責任で起きているから、みんなが気を付けましょう」などというレベルの問題ではない。科学的な知識を総動員して人間のすべての営みを総点検し、その結果に基づいて、これ以上地球環境を破壊しない施策、傷ついた地球環境を癒す施策を、社会政策として推し進めていかなければならない。

今、地球環境問題として、最も関心を集めているのは、地球温暖化の原因とされる二酸化炭素の放出である。二酸化炭素はありふれた気体であり毒ガスではないが、大気中の二酸化炭素濃度が上がることで放射冷却を妨げ（温室効果）地球の温度を上げることになる。化石燃料（石油・石炭・天然ガスなど）を使用することで、太古の昔から時間をかけてゆっくりと植物や動物によって吸収され、その死骸として地中に閉じ込められてきた二酸化炭素が、短期間に一気に大気に放出される。地球の平均気温が上がり、海水温が上がり、空気中の水蒸気量が増大し、気象エネルギーが大きくなり、異常気象の原因にもなり、様々な地球環境の急激な変化を引き起こす。

もちろん、このような問題に対しては、一国だけでなく国際社会が共同して取り組まなければ効果がない。全人類にとって、かけがえのない地球全体の危機を、個々バラバラの取り組みではなく、全人類の力を集結することで回避することができるのか否か、歴史の節々で発揮されてきたホモサピエンスの〝集団力〟を発揮すべきときが、現代である。

各国が民主的な手法によって、そのような政策を推進する法律を作り、民主的な手法によって作られた政府が中心となり、その法律を誠実に実行する以外に道はない。国民は、開かれた十分な情報に基づいてよく議論し、名実ともに主権者として立法行為に携わり、「自らが決めた法に従う」ことで初めて、社会全体が環境問題に立ち向かうことができる。

地球上の万物は、すべて地球という安定した存在に守られている。人は、そのような万物の一つである。地球を大切にすることで、自分を大切にすることができる。「地球は万物のために、万物は地球のために」である。

3　「20世紀社会主義」における環境問題　国家主導の環境破壊

人間社会内部の矛盾を解決した、搾取のない社会では、環境問題は大きく緩和されていなければならないはずである。「20世紀社会主義国」では、資本主義国よりもさらに酷い環境破壊が進んだということは広く知られている事実である。

例えば、ＰＣＢやフロンガスなどの環境破壊物質は、遅まきながら資本主義国で製造・使用禁止になった後でも、「20世紀社会主義国」では使用され大気に放出されてきた。中国は今や、二酸化炭素の総放出量において〝世界一〟という不名誉なタイトルを獲得することになり、大気汚染がひどく、「ＰＭ２・５」という新しい環境破壊を表す言葉の発祥国ともなった。また、「現在地球全体に放出されるフロンガスの約４割から６割が中国を放出源としている」という論文（イギリスの科学雑誌『ネイチャー』２０１９年より）が話題となった。第Ⅶ章で議論するが、どのような視点から判断しても、ソビエトや中国は最も社会主義に遠い国である。これらの事実は、そのことを実証する事例の一つにすぎない。

「20世紀社会主義国」は、あらゆる分野で先進資本主義国より経済的に遅れた状態から出発し、経済発展で資本主義国に追いつかなければならないという弱みから、資本主義国よりもずさんな環境対策しか取れなかった。新しい物質や技術の導入にあたっても、資本主義国よりもじっくりと時間をかけて慎重に検討するどころではなかった。しかも、資本主義国で公害問題を引き起こした場合は、当該企業にその責任が求められる（もちろん国家の責任も関係している場合が多いが）のに対して、「20世紀社会主義国」では国家がその責任を負う。つまり、独裁的に国民を抑え込んでいる国家が、資本主義国の企業が犯したような公害問題を起こしていたと言える。我が国においても企業と国家が共犯のような形で公害を起こしていた事例が数多く存在した。その経験からすれば、国家が持てる権力をすべて使って公害問題を起こせば、どれだけひどい状態になるか想像するに難くない。しかも、独裁国家が環境破壊の主犯ならば、告発する国民は弾圧の対象にしかならない。「20世紀社会主義国」で資本主義国よりもずさんな形で環境問題が蔓延していたのは、このような理由からであった。

ただ、他国のひどさをあげて、我が国では国家主導の環境破壊など無縁であると考えるのは、全くの認識違いであろう。今、地球環境破壊を止めようとするならば、国レベルの取り組みが必要であるが、我が国だけではないとしても、国としての責任を果たしていないのは明らかである。何より、我が国は重大な原子力事故を起こし、世界で最悪の環境破壊国の一つになったにもかかわらず、事故について十分な原因究明・検証も済まさないまま、原子力に頼ったエネルギー政策を推進している。ドイツやスイスのように福島の事故を見て原子力発電廃止へ政策転換した国があるというのに、国中に活断層が張り巡らされた地震大国日本では、国策で原子力発電がさらに推進されようとしている。

福島の事故は〝想定外〟という責任逃れがある程度通用しているかもしれない。しかし、実は、事故の5年前の国会で、具体的な問題として、自然災害で外部からの電源が喪失されたときの危険性について指摘されていた。第一次安倍内閣の時に、そのことに関して共産党の吉井英勝議員から「質問主意書」が、出されていた。安倍首相の回答は「外部電源が喪失してもバックアップのためのディーゼル発電機があるから問題ない」というものであった。吉井議員は、スウェーデンの原子力発電所で外部電源喪失が起き、バックアップ電源も4系列のうち2系列まで喪失されるという事故があったことを指摘（スウェーデンでは、2系列が生き残ったので大事故には至らなかった）し、バックアップ電源を2系列までしか準備していない日本の原発は危険であると訴えた。首相の回答は、「スウェーデンとは原発の設計が違うので心配には及ばない」というものであったが、福島の事故では、2系統しかないバックアップ電源が機能せず、大事故になった。

この結果から見れば、あまりにも具体的で適切な指摘を、あまりにも不誠実な対応で無視したことになる。しかし、事故に関して、野党議員となっていた安倍晋三氏は、自らの不誠実さを棚に上げ、民主党菅直人首相の対応のまずさが被害を大きくしたと批判の急先鋒に立っていた。そして現在、福島の事故を十分な検証もなしに原発を推進しようとしている。今後起きるかもしれない原発の事故は、〝警告を無視した重大犯罪〟と呼ばれなければならない。

第V章

民主主義を育て、民主主義で育つ社会

1　民主主義のルーツを探る

(1) 個と集団の矛盾

私は、動物の生態を紹介したテレビ番組を見るのが好きである。見事に自然に適応した多様な動物たちの生態に、いつも驚かされ感動させられる。もちろん長い進化の過程を経て今日の姿に到達し、これからも進化し続ける動物たちであるが、その存在は、「すべてを見通した創造主が創った」と考えられたのも無理からぬ、まさに〝神業〟である。

進化のメカニズムについての科学的解明が、日々進んでいる。人のDNAに関する研究が飛躍的に進み、例えば、子どもは親からもらった遺伝子の混合だけで作られるのではなくて、必ず一定の割合で突然変異をもって生まれてくるということも報告されている。すべての子どもたちは、両親の遺伝子を、単に、足して2で割っただけの遺伝的特性を持っているのではなくて、親の持っていなかった遺伝的特性を必ず持って生まれてくるというのである。進化論でいう突然変異はめったに起きないようなものではなくて、すべての人の誕生ごとにDNAレベルでは起きているのである。もちろん、人で起きていることは他の生物でも起きていると考えられる。

突然変異という言葉からは、親とは全く異なる個体が突然に出現するという非連続的な印象を強く受けるので、私はダーウィンの突然変異説に対してずっと違和感を持っていた。最新の説は、このような違和感を取り除いてくれた。もちろん変異したＤＮＡの部分は非連続的なのであるが、ＤＮＡの一部分だけに変異が生じているというのであれば、いつも、親とはとてもよく似ているが少しだけ違う子どもが誕生するということになる。少しずつの変化の積み重ねで進化が達成されるということになり、実情をよく表しているように思われる。恐竜が進化して鳥類が生まれたと言っても、いきなりそうなったのではなく、恐竜と鳥の間には、小刻みに変化する無数の段階があったのである。

このように進化を重ねてきた生物の中で、集団生活をしている動物の生態には、人間社会の問題を考えるヒントが多く隠れていると、私は感じている。特に、民主主義という考え方のルーツを感じさせられることがあるのは、民主主義が「個と集団の関係」に関するものであるからであろう。もちろん、科学的に実証されていることではなく、私の推測（妄想?）でしかないのであるが。

ホモサピエンスは、集団の力を発揮する方向に進化し、現在の繁栄を築いた種の代表である。集団生活をしている動物たちに付きまとうのが、「個と集団の矛盾」である。集団で生活するほうが、獲物を捕るのも安全を確保するのも有利である。20個体の集団の営みは、1個体の営みの20倍の営みよりもはるかに効率的であり得る。だから、個の生存のために集団を作るのである。しかし集団として力を発揮するためには個々のメンバーが組織的な行動をしなければならない。おのずと、集団としての決まりが生じてくる。

この集団の決まりが、個の利益と矛盾することが必ず起きてくる。例えば、獲物を捕らえる目的では集団の全メンバーの利益は完全に一致していても、捕らえた獲物の分配においては、各メンバーの利益は対立的になる。分配の仕方は種によって様々である。オオカミの群れでは、結構厳しい獲物の奪い合いが群れの中で起きていて、力のないメンバーは食べようとしても力に勝る仲間から威嚇され、なかなか獲物にありつけないらしい。百獣の王ライオンの群れでは、最も力の弱い幼い子どもに優先して獲物が行き渡るように、群れを統率する雄ライオンが仕切っているようである。

個のために集団を作るのであるが、その集団の力を活かすためには、個は集団の決まりに従わなければならない。「集団は個のために、個は集団のために」、これはあらゆる集団で生き延びる道を選んだすべての動物の永遠のテーマである。多様な動物がこのテーマに多様な解答を用意し、地球の生態系を豊かなものにしている。

(2) オットセイとハイエナ

私が特に興味を惹かれるのは、オットセイとブチハイエナの集団である。

オットセイの群れは極めて厳しい戦いの社会である。自らの遺伝子を残す生殖行為において、特に厳しさが際立っている。1匹のオスがたくさんのメスを囲い込み、ハーレムを形成する。力のないオスはハーレムを持てずに、自らの遺伝子を残すことなく一生を終える。ハーレムを持っていないオスは、ハーレムを持っているオスに戦いを挑んで、勝てばハーレムを手に入れることができるが、勝てずに終わるオスのほうが多数である。ハーレムが集まる繁殖地は悲惨な格闘の場である。体の大きなオス同士の争いに、メスは何の影響を与えることもできず、勝利したオスの所有物となるしかない。また、生まれたばかりの幼いオットセイが、大きなオスの激しい争いの巻き添えで犠牲になることも少なくない。オットセイの集団のこのような面からは、相互扶助のかけらも感じることはできない。動物の生態に人間的価値観を持ち込むのは全く意味がないが、オットセイ集団（社会）は、オスもメスも子どもたちも安らぐときがなく、〝幸せ〟に最も遠いのではないかと感じてしまう。

ハイエナといえば、他の動物の獲物を奪い取ったり、食べ残しをあさったりして生き延びているというイメージが根拠のないまま定着していて、同じ肉食獣の集団でも王者のライオンとは比較にならないほど〝格下集団〟と誤解されてきた。実は、最新の評価では、集団の利を生かした狩りの成功率はライオンより高く、個の力においてはライオンに負けているが、サバンナの肉食獣の集団としてはライオンをしのぐ存在であるとの評価が固まっている。群れの中では厳格に序列が決まっているようであるが、その序列は力によるものではなく、生まれの順であるらしい。人間ならば年長者が上位に位置付けられるのが一般的であるが、ハイエナでは群れの将来を担うことを期待されてか、若いほど順位が上になっているようである。力ではない別のルールがはっきりしていることから、順位を巡る争いはなく、怪我をして狩りなどには貢献できない個体も、元の順位に基づいて尊重される。また、ハイエナの群れ同士の争いが極力起きないように、獲物を譲り合うような〝群れ同士の決まり〟も存在しているのではないかという報告もある。サバンナの最強集団であるブチハイエナが、野生動物の中では珍しく、力によらない別のルールによって、メンバー同士の〝相互扶助の決まり〟や、群れ同士の〝戦いを避ける決まり〟を持っているというのは、大変興味深い。

人類に近い類人猿の集団では、チンパンジーの集団が好戦的で群れの中での争いも激しいし、群れ同士でも殺し合いをも厭わないほど激しく戦うのに対して、ボノボは、群れの中でも群れ同士でも戦いを避け平和を大切にする習性があると報告されている。

すべての生物は共通の祖先から分枝してきたと考えられているので、人類のＤＮＡにもすべての生物に共通な部分が存在している。ＤＮＡ的には哺乳類とはかなり近いはずであるし、類人猿とはもっと近いことになる。私たちホモサピエンスの行動に、あるときはチンパンジー的な好戦性を、あるときはボノボ的な好平和性を見るのは、全くの的外れなのであろうか。また、子どもを虐待死させた親のニュースを聞くたびに、ヒグマのオスが自分の遺伝子を残すために母親が育てている子グマを殺してしまう習性があることを連想してしまう。行動様式の中でＤＮＡによって決められている部分がどの程度あるのか、私は理解していないので、科学的根拠があるわけではないが、私は人類の様々な行動の中にあらゆる動物の生態的特徴の影を感じてしまう。ただ、願望にすぎないが、少なくともオットセイのような習性、チンパンジーのような好戦性、ヒグマのオスのような残虐性には、心から嫌悪感を抱くことは確かであるので、やはり、ホモサピエンスには様々な野生的感情の芽が存在しながらも、好戦性や残虐性を制御するＤＮＡも機能していると信じたい。

科学的根拠のない話が続いて恐縮であるが、人間社会で問題とされている男女差別について、動物の生態との関連で〝妄想的思考〟を行うことを許していただきたい。オットセイの生態は、男女差別の意味とそれがもたらす結果について、考える材料を提供してくれる。オットセイの雌雄差別は、体重２００kgをはるかに超えるオスと１００kgに満たないメスの、体格差に起因しているのは明らかである。これだけの体格差があれば、何につけてもメスはオスに逆らうことができない。生殖行為も、メスの意思は全く関係なく、オス主導の行為となり、雌雄の感情的絆は生まれにくいだろう。ペンギンなどのようにオスとメスが協力して子育てをすることもないので、雌雄の絆は必要ないのだろうか。となれば、メスはオスの一時的所有物にすぎないものとなり、繁殖期には力のあるオスが所有物（メス）を増やすことに血道を上げ、体力のあるオスがハーレムを作るという形態になるのは必然かもしれない。完全なオス優位社会であるから、オスが生きやすいと思われるかもしれないが、逆に、オスにとっても地獄のような争いの社会である。多くのオスはハーレムを持つことができず、子孫を残すことなく一生を終えるが、体力に自信のあるオスは、ハーレムを乗っ取るためにハーレムの持ち主と血みどろの争いを繰り返す。狭い繁殖地に密集したオットセイ同士が激しい争いに明け暮れる。ハーレムを持つことができないオスは、あろうことかペンギンを相手に交尾をすることがあるとの報告もある。圧倒的な体力差に抵抗できないペンギンは、交尾の後、殺されてしまうこともあるようである。人間社会でも、性的暴力の後、相手を殺してしまうというような事件が、ごく稀ではあるが起きることがある。そのようなニュースを聞くたびに私はオットセイを連想してしまう。

闘争力（暴力）ですべてが決着してしまう集団の中で、子どもを産み育てるというかけがえのない能力の持ち主であるメスの立場が弱くなり、その集団の中で、より暴力的な個体が繁殖を支配し、より暴力的な子孫が生存競争の勝者となる。力のないメスや子どもたちや、戦いの宿命を背負ったオスたち、誰も〝幸福になれない〟集団である。もちろん、オットセイには幸福や不幸という概念はないのだろうから、このような生態が修正されずに続いていているのかもしれない。

人間の歴史においても、闘争力ですべてが決められる時代があった。戦国時代の武家社会において、女性の地位は最も弱められていたのではないだろうか。女性の地位が低い社会であることと、闘争力（暴力）が支配する社会というものが、無関係ではないように思われる。そのような、力で支配される社会は、優位にあるはずの男性にとっても、心安らぐ暇もない争いの時代であった。そして現代も、そのような過去の時代と縁が切れたのかといえば、そうとは言い切れない状況が私たちの目の前に存在している。ただ、幸いにして、私たちは、闘争力だけで物事が決められることに嫌悪感を持っている。それは、私たちがオットセイと、ＤＮＡにおいては共通な部分も持ちながら、力ですべてを決める集団とは異なる進化の道を選んでいることの証ではないだろうか。

ちなみに、争いを避ける決まりが機能しているブチハイエナでは、メスのほうがオスよりもやや体格が大きいようであり、子どもを産むメスの順位が上位にある。また、争いを嫌がるボノボは、オスが平均的に少しだけ大きい体格を持ってはいるが、好戦的なチンパンジーとは違って、体格差からオスが威張れるほどではないようである。

人類の価値観である、民主主義、男女平等、平和主義というもののルーツを探りたいという意図から、野生動物の集団の生態について、科学的根拠に乏しい話を続けてしまった。私は、民主主義というものが、集団の知恵と力で生き延びる戦略を採用するあらゆる動物が共通に持つ、「個と集団の矛盾」の解決の仕方であり、集団の持つ力を最大限生かす手段であると考えている。個を守るための集団に、集団の秩序のために決まりが必要であるとするならば、その決まりは、集団の知恵を集約したものであり、集団の多数のメンバーに支持される合理的なものでなければならない。横暴なボスが合理性のない命令を他のメンバーに暴力的に押し付けているような集団が、合理的な集団の決まりによって集団の力をより効率的に発揮している集団よりも、進化において優位に立つとは考えにくいからである。

例えば、基本的には力で支配されている野生の猿の集団でも、腕力に秀でたボス猿（オス）がすべて専制的に決めているわけではないようである。移動先を決める場合は、自分が行きたいと思っている方向に動いてみて、他のメンバーがついてくるようであればその方向に進むが、そうでなければ別の方向に道を変える（立花隆『サル学の現在』平凡社／1991年より）。多数決を採っているはずはないと思われるが、メンバーの中には状況判断に長けたメンバーもいれば、記憶能力が優れたメンバーもいるはずであるが、いろいろなメンバーの反応を見て決めているのだろうか。

民主主義のルーツを動物の生態と関連付けるのは、私自身、妄想に近い推測であるとしか考えていなかったが、人類学者・霊長類学者でありゴリラ研究の第一人者であると評価されている山極寿一氏の著書に接し、全くの的外れではないのかもしれないと思えるようになった。『「サル化」する人間社会』（集英社／2014年）では、ゴリラとニホンザルの生態が対比的に紹介されている。興味深かったのは、喧嘩が起きたときの群れの対応である。ゴリラは優劣や勝ち負けの意識がなく、喧嘩の当事者双方の尊厳が保たれ、平和的な結末になるように第三者が仲裁に入るのに対して、力による序列社会のニホンザルの群れでは、争いの内容に関心は持たず優勢なほうに多数が味方して、勝負を終わらせてしまう。山極氏は「相手に屈することも媚びることもなく、相手を受け入れる能力を持つゴリラは、ある意味で人間を超えている」と書いている。私は、優勢なほうに味方するサルの習性から、人間社会でも少なからず存在する「勝馬に乗る習性」を連想してしまった。

（3）民主主義の原点「法に従う人民が法を決める」

「万機公論に決すべし」とは、明治時代の幕開けを告げる「五箇条の御誓文」によって初めて明文化されたものではあるが、封建時代にも、それ以前にも、もっともっと以前、ホモサピエンス誕生以前、進化過程での類人猿との分枝以前にも、集団の力を最大限に発揮する方法として、構成員の知恵と考えをうまく汲み上げるやり方が、育まれてきたのは間違いないと思われる。民主主義はその延長にある思想であると考えてよいのではないだろうか。

デモス（民衆）によるクラトス（支配）としてデモクラシーという言葉を発祥させた古代ギリシアでは、幾多の都市国家が存亡をかけて争っていた。ギリシア第一の都市国家として栄えたアテナイが、市民の意見をそのまま都市国家の政策に反映させる民会という制度（直接民主主義の古典的モデル）を持っていたとされている。ただ、このデモスによるクラトスは、人間一人一人を尊重するという意味では現代の民主主義にほど遠いものであった。都市国家の構成員のうち市民は少数であり、女性や奴隷の意見は表明される機会はなかったからである。また、クラトス（支配）という言葉が、多数者が少数者を力で抑え込むことにもつながりかねない、民主主義のはき違えの〝種〟であったとも考えられる。

今日使われるような意味の民主主義の思想を提示したのは、ルソーの大きな功績である。ジュネーブ共和国で参政権を持つ市民の息子として生まれたルソーは、幼少期は父親の影響もあり、読書好きで文化的な生活をしていた。家庭環境の激変から苦難に満ちた生活を余儀なくされ、孤児院での生活や放浪生活なども経て、パリなど当時のヨーロッパの文化的中心地での生活や、反対に田舎での暮らしを経験した。

変化に富んだ体験を重ねたことが契機となり、身分制度や財産の偏り、不平等な人間関係が自然な個人の発達を阻害しているとの考えに至り、大著『エミール』などで著されるように、人間本来の自然な成長がいかにすれば達成されるのかを求め続けてきた。そして政治制度こそが、どのような人間を育てるのかにおいて重要な役割を果たすという認識から、『政治制度論』をまとめ上げようとした。これは未完のままに終わってしまうが、その一部分が『社会契約論』（1762年）である。

難解な（特に「主権者」の概念、「一般意思」の概念がつかみ難い）著作であるが、私は、この著作から現代人が汲み取るべき考え方の根幹は次のようなものであると考えている（もちろん、ルソーの記述全体は、このように単純にまとめられるようなものではない）。

①　人は個人のままで生きるのは困難であるから、集団（共同体）を形成する必要がある。国家は個人を守るための共同体であるべきである。

②　政治制度によって人間の在り方が左右される。したがって、本来的人間性を取り戻すのも政治制度によらなくてはならない。

③　国家は個人の合意（社会契約）のもとにできたものであるから、「国家の法は、その法に従う人民が決める」。法に依って国のあり方が決められる。

④　国の在り方が決まれば、つまり集団の意思が決まれば、人民はその意思に服従しなければならない。このような国家の在り方のみが、人民にとって「自分以外に服従するものはない」という原則に適合するものである。

このような大雑把な要約は、ルソーやルソー研究者から正確でないとお叱りを受けるかもしれないが、このように理解すると、難解な文章で著された思想も自然なものに思える。動物が育んできた、群れを作って種を守る営みの延長上にある考え方ではないだろうか。

この「法に従う人民が法を決める」という考えに集約される人民主権論と呼ばれる思想は民主主義の基礎となるものであり、その後の世界史に大きな影響を与えた。日本においては「東洋のルソー」と称された中江兆民らによって紹介され、自由民権運動の支えとなった。そして、もちろん現在の日本社会においても最も重要な政治思想である。

2 日本の民主主義の到達段階

江戸時代の幕末期、社会変革のエネルギーに満ちた下級武士を中心とした若者たちには、欧米の民主主義制度の情報が伝えられていただろう。身分の低い者にも〝入れ札（選挙）〟で代表者を選ぶ権利が与えられ、政策や法を決められる社会にどんなにか憧れの念を持ったことだろう。また、自由民権運動を経て、１８９０年に帝国議会の議員選挙が行われるようになったときは、日本社会は大きく進歩すると期待されたに違いない（ただし、このときの有権者は25歳以上の多額納税者のみで、国民の約1％にすぎなかった）。１９００年に投票の秘密が保障され、１９２５年に財産の有無にかかわらず全ての25歳以上の男子に選挙権が与えられたとき、そして１９４５年に20歳以上の全ての男女に選挙権が与えられたとき、やっと国民主権が実現すると期待されただろう。１９４６年に公布された日本国憲法では「……主権が国民に存することを宣言し……（前文）」と国民主権が基本原理に位置付けられた。さらに２０１６年の公職選挙法の改定では、若い世代の声が政治に反映されることが期待され、18歳選挙権が実現した。

これらは、民主主義の発展にとって時代を画する有意義な出来事であるという点について議論の余地はない。このような経過を見る限り、間違いなく民主主義は進歩していると言ってもよいだろう。しかしながら、問題は、憲法の言葉通り国民が主権者としてふるまうことができているのか、それが可能であるような具体的な制度が整えられているかということである。

そもそも憲法で使われている「国民主権」の概念は、「法に従う国民が法を決める」という明確なものではない。むしろ、「日本国民は、正当に選挙された国会における代表者を通じて行動し……（憲法前文）」とあるように、国民の権利の届く範囲は代表者（議員）を選ぶまでであって、代表者を選んだ後は、議会で法を決めてもらって、その通りに従うだけなのである。「法に従う国民が法を決める」のではなくて「法を決めてもらう人を決めて、その人に任せる」のが、日本国憲法の到達した民主主義である。

もちろん１９４５年の時点では、それまでの帝国憲法と比較して進歩的なものであり、選挙という制度が民意を十分反映できるものと期待されていたであろう。しかし、任せてしまえばそれから後は制御が効かない、信頼して任せられる人が見当たらない、そもそも任せるということ自体が国民主権の考えからずれてしまっているのではないか……というような負の側面が、現代では顕著となってきている。

民主主義も進化の最中にあるのであり、国民主権という言葉で飾られていたとしても、実際に国民の声が、法を作るという行為に生かされ政治に反映される制度が伴っていなければ、民主主義は極めて未成熟な段階にあると言わざるを得ない。

人民主権論の創始者ルソーは、250年以上も前から代議制（選挙制）について強い否定的見解を示している。代議制によって、人民は主権者ではなくて奴隷と同じ立場になってしまうとさえ警告している。私たちが目の前で見ている現象は、警告の通りである。国会では、国民が〝正当な選挙〟で選んだ議員によって、国民が反対する多くの〝正当でない法律〟が作られ、その法案が国民を縛る、という皮肉な結果になっている。「国民は、**正当に選挙された国会**における代表者を通じて行動し……」という憲法前文は、実際には、「国民は、与党という**政党に占拠された国会**における代表者を通じて縛られている……」状態を生み出している。

３　選挙という非民主主義

（１）乗り越えるべき「選んだ国民が悪い」論

「選挙という権利が与えられているのだから、国民の意に反する立法行為をするような議員を当選させなければよい」とか、「結局は選んだ国民が悪い」とかいう議論が、いつも出される。しかし、そのような形式的議論で片づけられると思っている人の多くは、実際の投票行為に深く思いを込めたことがないのではないだろうかと思ってしまう。少なくとも、こんな政策を進めてほしいとか、逆にこんな政策はやめてほしいとか、政策を中心に選挙というものを考えるならば、このような形式的議論の空虚さに気づかざるを得ないのである。具体的な事例で考えたほうがわかりやすい。次の二つの事例で考えよう。

《第一の事例》

２０１５年の国会での、首相の答弁（安全保障関連法案の審議において）

答弁の言葉の揚げ足を取るつもりではなく、選挙の問題点を見事に（露わに）表現していてわかりやすいので取り上げたい。２０１４年12月、「アベノミクスの評価と消費税10％への値上げ延期を国民に問う」として、第47回総選挙が行われ、与党（自民党・公明党）が大勝した。その後の国会では、一連のいわゆる安全保障関連法案が提案され、可決成立した。10本の法律を一気に審議するという異例なやり方と、それまでの政府の立場とも矛盾する法案の問題点がどんどんと明るみになり、与党推薦の学者も含めて圧倒的多数の憲法学者がこの法案は憲法違反であると判断した（憲法違反ではないという見解の憲法学者は、たった３人であった）。野党の質問にまともに答弁できない場面が多く見られ、国民世論では反対意見が賛成を大きく上回り、その国会で成立させることに慎重であるべきという意見は各種世論調査で８割を超えていた。

国会審議において野党からの具体的な追及に答えることができない首相が、次のような答弁を行った。それは「私たちが前の総選挙で出したマニフェストには、この法案のことが書かれている。そして国民の多くの支持を得た。（質問者の野党議員に対して）あなた方の党は支持が少なかった。選挙公約に基づいてこの法案を提出している私たちは極めて民主的である」というような内容であった（ＮＨＫ国会中継より）。このような首相の答弁に対して、質問者の野党議員から有効な反論が聞かれなかったのは残念であった。

《第二の事例》

２０１３年参議院選挙における有権者の政治意識（ＮＨＫ世論調査より抜粋・編集）

少し古い資料ではあるが、選挙という制度の問題点を端的に表しているので、紹介したい。

投票率　52・6％

政治に民意は反映されているか

・十分反映（0・4％）
・ある程度反映（21・3％）
・あまり反映されてない（63・2％）
・全く反映されてない（14・4％）

今の政治への満足度

・満足（1・3％）
・どちらかといえば満足（23・4％）
・どちらかといえば不満（55・7％）
・不満（18・8％）

自民党支持者に問うアンケート（自民党の政策に賛成か反対かを自民党支持者に問う）

・経済政策について（賛成84％　反対15％）
・原子力発電政策（賛成37％　反対63％）
・憲法9条改正（賛成39％　反対59％）

※　このときの9条改正案は２０１３年段階の自民党の改正案であり、戦力不保持の条項を残したまま自衛隊を明記するという、安倍自民党総裁が提案した改正案ではない。

重視した政治課題（複数回答）

・社会保障・年金（56％）
・景気・雇用対策（53％）
・原子力発電・エネルギー（41％）
・震災復興（36％）
・消費税（34％）
・外交・安全保障（25％）
・憲法改正（22％）
・子育て支援（19％）
・ＴＰＰ交渉（16％）
・教育改革（10％）

第一の事例の問題点から考えてみよう。

この首相答弁のどこが悪いのかと思われる方も多いと推察される。実際、この答弁は暴論として世論の批判を受けてはいない。選挙公約を選挙後の国会で立法行為として実行するのだから、誠実な姿勢であると評価されてしまう。実は、ここに選挙という制度の、非民主主義性がある。

政党は、選挙にあたって公約政策をマニフェストとしてまとめる。有権者は、各政党のマニフェストも含めて様々な情報を考慮しながら投票する。このような選挙において、当選した政治家と投票した有権者の間には、つくろいようもない大きな認識のずれが生じている。当選者は、安倍首相のように、選挙で訴えてきた公約（マニフェスト）が支持されたと公言してはばからない。しかし有権者は、何を選考基準にするか自由であり、マニフェストが自分の考えと一致するということを基準にする必要はない。それどころか、第二事例の資料から読み取れるように、圧倒的多数の有権者は、マニフェストと自分の支持する政策の一致など基準にしていない。そんなものを気にしていては投票する候補者がいなくなるからである。この点が最も大切なことであるので、後で詳しく議論する。

「選挙で勝ったのだから、マニフェストの政策は支持された」と考えるのは、実はとんでもない拡大解釈なのである。そんな解釈が通るなら、国会での政策や法案の審議は、〝面倒なだけの不必要な手続き〟にすぎなくなる。そして、悲しいことに、我々の目の前にある国会は、この拡大解釈が大威張りをしている場所である。多数派の与党が必ず可決させる決意で提出した議案は、国会でいくら問題点が明らかにされても、政府答弁がいかにいい加減なものであっても、また、前代未聞の資料改ざんや資料隠蔽というような不正行為の下で行われていても、必ず可決されると言ってよい（例外はきわめて少ない）。学者の大多数が憲法違反であると判断しても、世論調査で反対が多くても関係なく可決される。選挙で多数派を形成した時点で、政策や法案は国民に支持されたと大威張りで、国会を通過することがほぼ約束されているのである。

与党の関心は、選挙だけである。悪法を乱暴に通したとしても、選挙で負けなければよいのである。支持率で他党を引き離してさえいれば、与党は、政権の不始末から野党から追及されそうになれば、「衆議院の解散、総選挙」をちらつかせて野党の追及を牽制する。政党支持率でライバルのいないとき、与党は選挙を都合の良い〝悪政のみそぎ手段〟にすることができる。選挙で野党に負けない自信さえあれば、選挙で悪政のすべてをご破算にできるのである。

（2）選挙では民意は反映できない

このように述べても、「与党の支持率が高いということは、与党の政策が支持されているからである」「政策を大事にするのであれば、政策で判断すればよい」「選挙制度に問題は無い」と主張される方がおられるだろう。そのように主張される人には、第二の事例を見ていただきたい。また、自分の投票行為を振り返って問いかけてほしい。「自分は、政策的に自分の考えと一致する政治家に投票しているのか」と。

第二の事例で、特に、自民党支持者の中の、自民党の政策についての賛成と反対の割合に注目してほしい。自民党を支持している人の中で、自民党の政策に反対している人が多いことに驚かれるのではないだろうか。「自民党の重要政策の一つを支持していない人が自民党に投票している」のである（このような現象は自民党に限ったことではないだろう）。さすがに経済政策については自民党支持者の84％が自民党の政策を支持しているが、それでも15％の人は反対している。原子力発電の政策については自民党支持者の過半数の63％が自民党の政策に反対している。憲法改正（当時の自民党案）についても過半数の59％の人が反対している。

なぜ、このようなことが起きるのか。政策には、外交、安全保障、経済・財務、厚生、教育、環境、農業・漁業・林業、食料……などいろいろな分野がある。議員の候補者は各分野について自分の政策を持ち、その政策のセットがその候補者を特徴付けることになる。つまり、政策を重視して投票するとしても、今の制度で有権者にできることは、その政策のセットを選ぶということでしかない。政策のセットが同じ候補者が政党を作る（逆に、同じ政党に属する候補者は同じ政策のセットになるように調整されるという面もあるだろう）。もちろん、どの政党にも属さない独自の政策セットを持っている候補者もいる。いずれにしても有権者は、投票するとき政策を重視するとしても、セットとして承認しなければならない。経済政策ではある候補者に賛成であるが、安全保障政策では全く反対であるというようなことは常に起きている。第47回総選挙においても、自民党に投票した人で、アベノミクスには期待できるが安全保障政策には賛成できないと考えていた有権者が多数であったことは、資料から明白である。その人は、経済政策を重視し安全保障政策を犠牲にしたのである。

近代法理論では主権とは「国のあり方を決める権利」つまり「法を決める権利」であるとされている。したがって、少なからぬ投票者は、例えば、経済に関する主権のために安全保障に関する主権を犠牲にしたことになる。そして、資料から読み取れることは、ほとんどの有権者が、何かの主権を犠牲にしなければ投票できないということである。まるで、難病の〝自己免疫疾患〟にかかったのと同じで、自分の主権の一部が自分の主権の一部を傷つけているのである。

第二の事例から、多数の有権者は様々な政策分野に関心を持っているが、自分の考えと一致する候補者がいないことに嘆きながら、妥協を強いられながら、〝より我慢できる候補者に〟投票しているということが読み取れる。選挙は、多くの国民を〝自己免疫疾患〟にかけてしまう制度である。このときの調査でも、社会保障・年金（56％）、景気・雇用対策（53％）が高い関心を集めていたようであるが、もちろん、他の分野の政策がどうなってもよいと考えているわけではないだろう。政策の中には、差し迫った大問題として取り上げられるようなものもあれば、長期的見通しのもとで継続されなければならないような重要政策もある。差し迫った大問題のために、継続性が必要なさらに重要な大問題が犠牲にされてよいということではない。

選挙のたびに、争点が報道番組で解説・議論される。18歳選挙権が初めて実施されるとき、若者に投票行動を促すための番組の中で、例えば、〝奨学金という名の教育ローン〟で苦しんでいる若者の状況を紹介して、貧困な教育政策改善のためにも投票しなければならない、というようなコメントを発する評論家もいた。まじめな意図から制作されていることは疑う余地もなかった有意義な番組ではあった。もちろん、教育政策改善の必要は同感であるし、またコメントをしている人の善意を否定するわけでもない。しかし、選挙に対するコメントとしては大いに疑問である。本当にそうなのか、そんなのでよいのか。選挙という制度を誤って伝えてはいけない。

選挙は、教育政策改善を問う投票ではない。教育政策は、たくさんある争点の中の一つでしかなく、自分は教育政策の投票をしているつもりでも、選挙はそのようにはなっていないのである。また、総合的に判断するしかない選挙において、一つの政策判断のみで投票するのが望ましいのかと言えば、一般的にはそうではない。コメントしている本人は、果たして一つの政策判断で投票するようなことをしているのか、そんな視野の狭い人ならばコメンテイターとして不適当であろうし、そうでないならば、自分ではやらない不適当なことを若者に薦めるという不誠実さを示していることになる。真摯な意図で制作された報道番組でさえ、この程度の内容であることに、日本の民主主義の脆弱さを痛感させられてしまった。

若者には、選挙という手段が民主主義を実現する上でいかに不十分なものかを伝え、国民主権を実現するためにはもっと別の手段が必要であることも伝えなければならない。投票行為を促すとしても、選挙という制度の本質的弱点を不問にしてはいけない。さらに言えば、社会変革の手段を選挙という方法にのみ閉じ込めることは、現時点では、変革を阻害する役割を果たすことにもなりかねないということも伝えてほしい。

近年の選挙で〝一つの争点が演出される〟選挙があった。「郵政民営化を問う」との大キャンペーンを張った選挙で大勝した与党は、郵政民営化以外にも数々の法案を通し、日本社会の格差拡大を促進した。また、「予定されている消費税の値上げを延期することを国民に問う」というようなことが総選挙の大義名分とされたりもしている。それはそれで重要な問題であるが、それだけを判断材料にして候補者を選ぶということが、いかに問題であるか考えなければならない。国民に反対されないようなテーマを大きな看板にして、都合の良い時期に総選挙を行い、選挙後には国民にとって都合の悪いことばかりが待ち受けているというのが、私たちの目の前にある選挙の姿である。

党派の立場に縛られなければ、今すぐ国民的合意を形成できるような課題はいくらも存在する。例えば、原子力発電について、早急に中止にすべきであるという意見は、与党支持者の中でも少なくないし、野党支持者の中ではもっと多い。また、最低賃金を1000円以上に引き上げるという政策に関しては、主要な政党間で、全国一律なのか平均なのかで意見が異なっているだけであり、その点で当面の妥協をすれば、ほとんどの議員で一致しており、最低賃金を大きく引き上げるという点では、今すぐ大きな前進が可能である。

このように、個々の政策ごとに考えれば、合意することもできるし、歩み寄ってより良いものに改善することが少なくないにもかかわらず、政党という存在を前提とし、選挙で勝利し、政権与党とならなければ何もできないような状態を生み出しているのが、現在の日本の状態である。

選挙という制度さえなかった過去に返れと主張しているのではない。人類にとって不断の取り組みが必要な「民主主義の成熟」に完成形はなく、日々改良していくべきものである。代表者を選ぶことで、国民はその意思を政治に反映できると期待されたのであるが、今や、代表者に任せるだけでは、国民は自分たちの意思を届けることが不可能であることが明らかとなっている。制度の害悪がこれだけ明らかになっているにもかかわらず、改善を怠っていることが問題であると主張しているのである。その結果が、最初に挙げたアンケートである。このアンケート結果は、現段階の、選挙制度への評価・日本の民主主義に対する評価でもある。再度、その深刻さを見届けておこう。

政治に民意は反映されているか

・十分反映（0・4％）
・ある程度反映（21・3％）
・あまり反映されてない（63・2％）
・全く反映されてない（14・4％）

今の政治への満足度

・満足（1・3％）
・どちらかといえば満足（23・4％）
・どちらかといえば不満（55・7％）
・不満（18・8％）

4　国民投票　選挙の非民主性を補う制度

議会制民主主義（代議制民主主義）を基本としながらも、その問題点を補うために、より直接的に国民的合意を政策に実現できる「国民投票制度」を持っている国は少なくない。

世界中で行われた国民投票についてまとめられた『国民投票の総て』という貴重な労作が２０１７年に出版された（編著：今井一＋『国民投票の総て』制作・普及委員会／発行：［国民投票／住民投票］情報室／２０１７年）。この著書によって、１７９３年から２０１７年の間に、世界ではおよそ１４０か国（国の統合、独立などがあるので、現在の世界地図上の国の数ではないことに注意）で、国民の意思を明確に示す手段として国民投票が行われたことが紹介されている。内容は、禁酒、原子力発電、軍隊、憲法、移民、選挙権年齢、同性婚など多岐にわたり、国民の関心事２５２７件について投票が行われた。もちろん、毎年何件かの投票が行われているので、ずっと増え続けている。日本では、国民投票によって法律の制定廃止を決めた経験は1件もなく、極めてなじみが薄い制度である。

イギリスのＥＵ離脱の国民投票が話題になったことで、国民投票という制度について日本でも関心が集められた。その後のイギリスの混迷ぶりから、国民投票という手法について疑問を投げかけたり揶揄したりするような議論も出されている。メディアにおいても、普段は民主主義を尊重する立場でコメントをしているはずの学者や評論家の中からも「国民投票ではなくて、議院内閣制の下でしっかりと練られた政策を出すべき」とか「国民投票に頼るから混乱する」「国民投票は、間違った情報などに左右されやすく、あてにならない」などの見解が出されている。民主主義の基本に関することなので、国民投票の意義を低めるこれらの見解について、じっくりと考えてみたい。抽象的な議論に終始しないよう、『国民投票の総て』で紹介されている具体例をもとに考えてみたい。

(1) "国民投票の結果の正しさ"とは

まず、毎年数回の国民投票が行われ、世界で最もこの制度の活用が進んでいると思われるスイスにおける、原子力発電に関する国民投票の例を見てみよう。原子力発電に関する投票を時系列で並べると次のようになる。

1990年、国民から発議された「原子力発電からの段階的脱却」案は反対52・9%で否決されたが、「新規の原子力発電所建設の10年間停止」案は賛成54・5%で可決された。また政府の提案する「省エネルギー政策推進のための憲法改正案」は71%の賛成で可決された(そして、これらの投票結果に沿った政策がしばらく推進された)。

2003年、新規原子力発電所の建設停止期間が過ぎたので、さらに延長する国民発議の案と、原子力発電所の段階的な閉鎖を目指す国民発議の案が、ともに60%前後の反対で否決された。したがって、再び、原子力発電政策が推進されることとなった。

2016年、福島第一原子力発電所の事故(2011年)を受けて、「脱原発達成期限の前倒し」の案が国民発議で投票にかけられたが、54・2%の反対(45・7%の賛成)で否決された。

２０１７年、福島の事故直後から時間をかけて慎重に政策を検討したスイス政府は、「５基ある原子力発電所を順次停止しながら、新規原子力発電所の建設を禁止する」政策に転換しようとしていた。しかし、議会の最大勢力の国民党が政府案に反対したため、政府の発議で国民投票が行われ、賛成58・２％（反対41・８％）で可決した。これが現在のスイスの原子力発電政策である。

一刻も早く「脱原発」政策を望む立場からすれば、そこにたどり着くまでの右往左往の経過が、なんともまどろっこしく思われるかもしれない。国民の一票ですぐに決められる制度を持つスイスであればこそ、もっと一直線に「脱原発」の結論に到達してもよかったのではないか。同じく国民投票制度を持つ隣国のオーストリアでは、１９７８年に国民投票で「原子力発電の稼働」が否決され、スイスよりも40年も早く「脱原発」の道を歩み出していることを見るにつけても、そのような思いは強いであろう。

実際、スイスのジュネーブ大学教授で、貧困や格差の問題に実証的な研究を進め、国連の特別報告者を務めた実績を持つある社会学者は、スイスの国民投票の現状について、「人口の２％の少数者が国の富の96％を所有し、（その財力で）国民投票の結果を、自分たちに有利な方向に仕向けている。最低賃金制の導入、賃金格差の上限の設定、年金の増額、公的医療保険の創設……などがすべて否決されてしまった」と、スイスの民主主義の現状を嘆いている（ジャン・ジグレール『資本主義って悪者なの？』ＣＣＣメディアハウス／

２０１９年より)。しかし、投票結果を嘆くことと、国民投票の制度を批判することは全く別問題であり、著者も国民投票制度には批判を向けていない。

私は、国民投票という制度の下で、〝正しい投票結果とは何か〟という問題について、特別な考え方が必要であると考えている。ある時点で否決した案件が別の時点では可決されることはよくあることである。先に紹介したスイスの例でも、１９９０年、２００３年、２０１６年、２０１７年の国民投票の結果は、お互いに矛盾した内容である。また、他の例では、「デンマークにおける投票権年齢を18歳に引き下げる発議」がある。１９６９年には21歳から18歳に引き下げる発議が78・６％の反対で否決されたが、１９７１年には21歳から20歳に引き下げる発議が56・５％の賛成で可決され、１９７８年には20歳から18歳に引き下げる発議が53・８％の賛成で可決されている。これらの投票結果について、矛盾する結果のどちらかが間違いでありどちらかが正解であるというように判断するのは、合理的ではないと考える。

提案者側から見ればどれだけ素晴らしい提案であろうとも、それが国民全体の認識になるためには、それなりのプロセスと時間が必要であるというのは、ごく自然なことである。真理の認識と同様に、社会的な制度も日々進歩していくものであり、不変の最終的な正解というべき完成形などはないのである。とすれば、その都度到達した結果はすべて途中経過であり、すべて不十分なものである。理想への途中経過を間違いと言うならば、すべての投票結果は間違いであると言わなければならないが、すべてが間違いと決まっているならば、間違いを指摘する必要もない。

言論の自由が保障され、賛成意見も反対意見も同じように述べることができ、自由な投票によるものならば、国民投票の結果は、否決・可決にかかわらず、すべて同じように（正解であるとして）尊重されるべきものである。そして、時代が変わり、新しい現実の下で、可決されていたものが否決に代わろうが、また、その逆のことが行われても、それは間違った結果が正しい結果に訂正されたと理解するのではなくて、社会全体の認識が一つの到達点からもう一つの到達点に進化したと考えるべきである。

もし〝間違った国民投票〟があるとすれば、それは結果ではなく投票の方法に関してのことである。自由な言論活動が賛成派にも反対派にも同じように与えられ、何らの強制力もなくすべての人が自由に判断でき投票できる投票ならば、それは、すべての国民に尊重されるべき〝正しい国民投票結果〟である。

(2) イギリスの国民投票　根深い移民問題　難しい判断

『国民投票の総て』の著者である今井一氏は、ジャーナリストとして国民投票を直接取材している。ＥＵ離脱問題での国民投票についても、イギリスでの取材をもとに「民主的な手続きによって、主権者の意思によってEU離脱が決定されたことに間違いない」と報告している。一部の日本の評論家は、「デマ宣伝によって大衆がだまされた結果である」というようなコメントを流しているが、現地で取材をした今井一氏は、「デマ宣伝はキャンペーン期間中に暴かれ、ほとんどの国民はデマを鵜呑みにして投票したのではない」と報告している。

また、その後のEUとの離脱交渉で、イギリスがEUに加盟したことで治まっていたアイルランド問題が再び持ち上がり、離脱交渉が暗礁に乗り上げていることをもって、「国民投票における議論が手抜かりであった」というような評価も出されている。このような議論が、批判の矛先を国民投票に向けるのであれば、それは全くの的外れであると言わざるを得ない。イギリス議会（庶民院）の選挙においても、EU離脱は常に大きな争点の内の一つでなければならなかったであろうが、そのような選挙戦においてもアイルランドの問題を議論していなかったのであろうか。今回の国民投票においては、もちろん政党も議員も自らの主張を自由に述べることができたのであるから、アイルランド問題で「手抜かりがあった」という批判は、国民投票に対してではなく、議員、政党、キャンペーン団体、メディア……などすべての議論にかかわった人に向けられなければならない。国民投票であれ議員選挙であれ、重要な議論を忘れていたのであれば、後の混乱はやむを得ないものである。国民投票制度に批判の矛先を向けるのは的外れである。

私自身は、現在のイギリスの状況について、明確な判断をする知識は持ち合わせていない。ただ、ＥＵの意義は十分理解しているつもりであり、このような国際社会編成の方向は、世界から領土や資源の争奪の争いをなくす好ましいものであると考えている。一方で、ＥＵ全体と加盟国の関係については、メディアからの情報を聞く限り、まだまだ改善しなければならない点が多いとも考えている。今回の国民投票では、イギリス国民はＥＵ議会・欧州委員会（政策執行機関）に対する不満を表明したのである。イギリスの実情に合わないＥＵからの規制や、極めて深刻な状態になっている移民問題での解決策のなさに対する不満と、ＥＵを離脱することによるリスクの間でイギリス国民は迷いながら投票し、結果的に離脱が多数を占めたのである。

世界的な移民の問題はあまりにも根が深く、国と国との貧富の格差、歴史的な事実としての国による国の搾取が、根本的な原因である。ヨーロッパに限らず、かつて先進資本主義国の植民地であったような国では、産業構造や国民生活の様式が壊されてしまい、貧困と治安の悪さに苦しんでいる。生まれ育った国で平穏な生活が期待できるのであれば、わざわざ危険を冒して移民として生きる道を選ぶ人はこんなにも多くはならない。移民問題は、国による他国の搾取に対して人類はどう対処すべきなのかということを、搾取している国の側にいる人間に問題提起しているのである。人による人の労働の搾取、国による国の搾取、現代社会の不安定さは、その多くが搾取から生まれている。

移民を敵視し続けているトランプ大統領の対応は、一つの極端に位置している。中米の国ホンジュラスからアメリカ合衆国を目指す移民・難民のキャラバン隊（約７０００人）に対して、あろうことか軍隊（１５０００人）を対峙させた事件が大きな話題となった（２０１８年）。ホンジュラスは、かつてはスペインの植民地であり、現在は世界有数のバナナ生産国となっているが、複雑な歴史的経緯を経ながらも国民は貧しさから抜け出せていない。バナナ生産はアメリカにバナナ権益を提供しているが、ホンジュラス国民の生活向上をもたらしてはいない。バナナを生産している労働者は豊かにならず、生産物を扱う先進国の企業に利潤を提供し続けている。国を超えた搾取の現実である。貧困から荒廃したホンジュラスでは安心した生活が送れないと、大きな危険を覚悟してキャラバン隊を作り、搾取されている国から、搾取している国に移動することを目指したのである。

先進国の中でも、より理性的で寛容さを持ち合わせている国は、多くの移民・難民を受け入れている。多くの各国指導者もトランプ大統領ほどは差別的ではない。しかし豊かに見える先進国の中でも格差が広がり、貧しさと不安が広がり、人々から寛容さが失われている。それでなくても、移民・難民の受け入れにはおのずと数的限界があり、問題が生じるのは当然である。このような背景から、第二第三のトランプが世界中で出現している。

もちろん、本来的な解決を目指すのであれば、自由貿易の恩恵を受けて多くの富を他の国から収奪している国が、生産労働に見合う報酬を正当に支払うことである。一方には豊かさが、他方には貧困が蓄積されるというような、世界的な収奪の構造を変えなければならない。トランプ大統領は、移民を排除するための壁を作るのではなくて、貧しい国から富を吸い上げるパイプに蓋をすべきなのである。

いずれにしても、様々な難問題を前にして、イギリスがどのような道を選ぶべきか国民に問いかけられ、国民は真剣な議論の結果、離脱という選択をしたのである。国民主権にふさわしい決め方をしたことに何の批判も必要はない。今回の投票結果がＥＵの抱える問題点を見直すきっかけになり、何年先になるかわからないが将来的にイギリスをも含めた形で、より問題解決能力の高いＥＵに進化してくれることが私個人の希望であるが、もっと素晴らしい着地点があればより好ましい。誠実な議論を続ける限り、途中経過は様々であっても必ず合理的な落ち着き先にたどり着くであろうことを信じることが民主主義である。

私は今のところ、国民投票以上に民主的な方法を知らない。国民投票を揶揄する方々は、それ以上に民主的な方法を提案されるのであろうか。日本国憲法には、憲法の改正は、最終的には国民投票という方法によると明記されている（第96条）。最も基本となる法であればこそ、最も民主的な改正方法を採るとされているのである。「国民投票はあてになららない」という主張をされる方は、日本国憲法第96条も否定され、憲法改正においても国民投票とは別の方法を採るべきであると考えておられるのであろうか。

第Ⅵ章

歪んだ日本の法体系　虚構の「司法の独立」

現在の日本の法体系の歪みは、極めて深刻である。最も基本的な法として日本国憲法があり、その下に多数の法律があり、政令、省令などがある。これらの法令はお互いに矛盾していてはならないのは言うまでもないことであるが、以下、具体的に見るように、日本では矛盾する法が乱立している。

私たちは社会の制度や仕組みの進化を、法令の制定という手法で達成していくしかない。法治主義というのは、社会制度についてのあらゆる議論の前提である。法治主義が、その時代の支配者の〝ご都合主義〟にとって替わられるならば、社会の進化や安定は望みようもない。矛盾する法令が乱立する状態は、法治国家という名に値しない。日本の法体系の歪み、つまり法治主義の崩れは深刻である。

特に重大な具体的事例として、次の三つの問題を議論したい。

①衆議院の解散権に関する問題
②派遣労働に関する問題
③自衛隊法に関する問題

この他にも歪みの事例はたくさんあると思われる。ここでは取り上げないが、私は現役教員であった時代から、憲法、教育基本法（改正前）、学校教育法、文部省令の間の矛盾についても問題を感じていた（付録1「教育を受ける権利から教育を作る権利へ」を参照）。

1 「衆議院の解散権が首相にある」という虚構

「衆議院を解散する権限が内閣にある」という法解釈は、以下に示すように、憲法条文を読めばわかる、明確な憲法からの逸脱であり、ましてや「解散の権限が（内閣ではなくて）総理大臣にある」というのは、逸脱に逸脱を重ねているものである。

具体的に調べてみよう。解散権が首相にある〝根拠〟とされるのは、天皇の国事行為の条文、憲法7条である。この条文をもとに行われる解散は「7条解散」と呼ばれている。最近の解散はその多くが「7条解散」であり、首相の恣意的な判断で〝解散の大義〟なるものが演出され、与党が有利な時期を見はからって選挙を行っている。

第7条
天皇は、内閣の助言と承認により、国民のために、左の（次の）国事に関する行為を行ふ。

一　憲法改正、法律、政令及び条約を公布すること。
二　国会を召集すること。
三　衆議院を解散すること。
四　国会議員の総選挙の施行を公示すること。
五　国務大臣……の任免……を認証すること。
……八　批准書及び法律の定めるその他の外交文書を認証すること……（十番目の項目まで記述）

この条文は、天皇の国事行為（10項目）が内閣の助言のもとに行われることを記述しているのであり、内閣の権限を記述しているものではない。後で具体的に見るように、ここに言う助言というのは、既に決まったことを伝える行為であって、助言者が助言すべき内容を決定する権限を持っているかどうかということとは別問題である。

にもかかわらず、「内閣が天皇に助言するのだから、決める権限は内閣にある」と無理やり歪んだ解釈をし、さらに歪めて、「内閣の権限」でさえなく「首相の専権事項」としてしまった。このような歪んだ解釈が可能ならば、「一　憲法改正や法律の公布」や「八　国際条約の批准書の認証」さえ「内閣の権限」になり、さらに「首相の専権事項」になってしまうではないか。

例えば、国際条約の批准書の承認はもちろん国会が行うのであり、内閣にはその権限はない。国会が批准を承認し、そのことを内閣が天皇に助言し、天皇が認証することで国民に知らされる。この一連の流れについて、議論の余地はなく、異論は存在し得ない。この場合は、国会が決定した通りのことを天皇に伝えるだけの、いわば〝伝言役〟が内閣である。

憲法改正の公布についても同じことである。改正の方法は別の条項（憲法96条）で決められている。憲法は、国会の発議により国民投票が行われ、改正が決められる。改正された憲法は公布される以外になく、公布するのかしないのか判断する権限は内閣にはない。公布されるとき、それを天皇に伝える行為が助言である。

もちろん、10項目の助言項目の中には、首相が権限を持っているものもある。「五　国務大臣の任命」はそうである。しかし、この場合には、別の条文で「内閣総理大臣は国務大臣を任命する（68条）」と明記している。もし、7条の助言という言葉に権限の意味があるのであれば、68条は不必要である。

内閣の権限については、7条ではなく、憲法の第五章（65条～75条）にまとめられている。天皇の国事行為について書かれた言葉の端の端を無理やりつなげて解釈しなければならないような書き方はされていない。

衆議院の解散についても、解散が決まったときにそれを内閣が天皇に伝え、そして天皇が解散宣言をするのである。どのようなときに、衆議院が解散となるのかについての憲法の記述は、別の条文、45条と69条である。

第45条　衆議院議員の任期は、四年とする。但し、衆議院解散の場合には、その期間満了前に終了する。

第69条　内閣は、衆議院で不信任の決議案を可決し、又は信任の決議案を否決したときは、十日以内に衆議院が解散されない限り、総辞職をしなければならない。

憲法上、衆議院の解散についての記述は、以上の、7条、45条、69条ですべてである。三つの条文を読めば、どのようなときに衆議院が解散されるのか、明らかである。議員の任期が満了してしまうときと、内閣不信任案が可決（信任案が否決）し、国会の指名（信任）により成立したはずの内閣が、不信任によってその成立の根拠を失うときである。内閣は、自らの正当性を主張するのであれば議員を入れ替えなければならず、そうでなければ議会の決定に従って自らが退かなければならない。自らの正当性を主張するとき、衆議院を解散させる選択肢が与えられている。69条は、内閣と衆議院が決定的な対立に陥ったときに、不信任を突き付けられた内閣に非があるのか、それとも、内閣不信任を出した衆議院に非があるのか、最終的には国民の判断を仰ぐことができるようにしているのである。

69条の記述が、間接的な記述であることから、言葉のわずかな隙間を利用して歪んだ解釈をねじ込んできているのであるが、この憲法違反が既成事実としてまかり通っているのが実情である。そして、「解散が内閣の権限である」から「首相の専権事項」へと、違反が拡大されている。すべての閣僚は、解散について意見を求められても、判で押したように「首相の専権事項ですから私の意見は申し上げられません」としか答えない。内閣のメンバーは意見表明さえできない無権利な状態に自らの立場を低めている。

閣僚は、仮に条文を歪めて、解散権が内閣の権限であるという解釈を採るとしても、閣議決定に責任を負うメンバーの一人としての見解を問われたとき「私の意見は言えません」と答えるのは、矛盾している。「首相の専権事項」という法解釈は、どこをどう歪めたら出てくるのか、〝歪める種〟さえ存在していない。首相に任命された閣僚たちが〝演出し〟作り上げた虚構としか言いようがない。

虚構は、このように、「1000人が1000回嘘をつき続ける」ことで塗り固められ、1億人がそれを信じてしまうことで出来上がる。〝法治国家〟日本の深刻な危機である。最近の解散例では、「消費税値上げ延期解散」「国難解散」というように、首相の恣意的判断で、与党が都合の良いときに都合の良い「解散の大義」を掲げ、解散・総選挙が行われた。さらに、「内閣不信任案が出されたら（可決されたらではない）解散」などという暴論が出されるまで、憲法違反の権力乱用が広がっている。

2 「労働者派遣法」による労働法の蹂躙

労働政策について歴代日本政府の取ってきた立場の特徴は、一言で表現すれば〝不誠実〟ということである。不誠実さには二つの形態がある。一つは、法律に複雑怪奇な解釈をつけたり、故意に具体化を怠ることで、有名無実化することである。もう一つは、既存の法律と矛盾するような法律を平気で作り、法体系を崩壊させてしまうことである。「労働者派遣法」は後者である。1985年に制定された「労働者派遣法」という法律は、それまでの労働法を蹂躙し、法体系を崩壊させてしまった。

戦後、「人貸し業」「口利き屋」など、人材派遣を営利目的で行うことは、労働者に対する中間搾取（人材斡旋で利益を得ること、いわゆるピンハネ）にあたるとして、労働基準法や職業安定法で禁止された。だからこそ、人材の斡旋（仕事の斡旋）は公共職業安定所（現ハローワーク）が無料で行うようになったのである。

労働基準法6条は「何人も、……業として他人の就業に介入して利益を得てはならない」となっており、職業安定法44条は「何人も、……労働者供給事業を行い、又はその労働者供給事業を行う者から供給される労働者を自らの指揮命令の下に労働させてはならない」となっている。これらの条文を順守するならば、人材斡旋で利益を得る派遣会社などはあり得ないし、派遣された労働者を働かせる会社も罪に問われることになる。

だからこそ、「労働者派遣法」は制定時、（労働基準法や職業安定法に抵触するので）例外的なものとして、政令で指定された13の専門職に限定され、期限も原則1年、最長3年で、しかも期限が来て契約解除された派遣社員の後を別の派遣社員で補うというようなことは禁止するという条件が付けられていた。それが度重なる改正（改悪）で、派遣労働の職種が増やされ、また期限についても、制限が緩和され、今や、原理的にはすべての業務を派遣社員で行うことが可能になったと言ってもよい状態になっている。例外が主流となったのであるから、労働基準法6条は後にできた法律で蹂躙されたまま、体裁だけは残っているのである。大変醜い法体系の見本である。

余談になるが、政府の閣僚（内閣府特命担当大臣など）であった人物が大手人材派遣会社の会長（パソナ会長）を務めているのは有名な話である。法律も社会の秩序も個人的な利益のためにめちゃくちゃにしてしまっても平気な人物が、我が国では指導者になっているのである。この人物は、最近では、〝毒と薬が混在する〟ような「働き方改革法案」の強力な後押し役を買って出ていた。「……高度な専門職に限られているので、労働者全体の条件悪化にはつながらない……」などという論法で、重大な欠陥が内包されたまま法案はゴリ押しされてしまった。

最初は、限られた範囲の例外的な法律であり大きな影響はないとして既成事実を作り、後戻りができないようにしながら、どんどん都合良く法律を改悪していく。残念なことに、私たちの国ではあらゆる政策分野でこのような手法が常套手段になっている。

3　自衛隊による憲法9条の蹂躙

憲法9条については確認するまでもないが「……戦争と、武力による威嚇又は武力の行使は、国際紛争を解決する手段としては、永久にこれを放棄する」となっており、2項で「②……陸海空軍その他の戦力は、これを保持しない。国の交戦権はこれを認めない」となっている。「戦争はしない。戦力は持たない」という簡潔で明確な条文で、他に解釈の余地はない。

この憲法が制定されるときの国会で、当時の首相（日本自由党総裁）吉田茂は、「侵略戦争を放棄すればよいのであって、防衛のための戦いまで放棄することはない」と主張した日本共産党の野坂参三議員に対して、「……戦争の多くは防衛の名において行われた……正当防衛権を認めることが戦争を誘発する……」と、自衛のための戦争も放棄すると明確な答弁をしている。このような基本的立場からは、現在の自衛隊の存在はあり得ないことである。

憲法学者の間でも、もちろん自衛隊が違憲であるとの認識が主流ではある。２０９人の憲法学者に朝日新聞が行ったアンケート調査（２０１５年６月）では、「自衛隊が憲法違反にあたらない」と答えたのは28人、「憲法違反にあたらない可能性がある」は13人であり、「憲法違反にあたる」の50人、「憲法違反の可能性がある」の27人に比べて少数である。私の感想を述べれば、「憲法違反ではない」と答えた〝学者〟が、少数であるとはいえ、無視できない人数で存在することが信じられない。我が国の法体系が、政治的な判断によって歪められ、その歪みが法律の専門家にも影響を与えている現実は大変深刻である。専門家の判断がこのように頼りないことが、法律の条文に触れることの少ない国民の判断に大きな悪影響を与えるのは避けられない（司法や法律の専門家・学者の判断がこのように頼りないのは、明確な理由がある。次の項目４で詳しく述べたい）。

世界各国の軍事力をランキング形式で毎年評価している調査（GFP〈Global Firepower〉が公表している〝Military Strength Ranking 2019〟）では、日本の自衛隊は年間国家予算の約５％（約5兆円）で、30万人以上の隊員を抱え、陸海空で大きな戦闘力を持ち、世界第

6位の「軍事力」と評価されている。戦車もあればミサイル搭載の戦艦もあれば、空母もあれば戦闘機もある、立派な戦力である。また2016年には世界4位と評価されたこともあった。

例えば、自衛隊は、イスラエル軍（17位）よりもはるかに大きな戦闘能力を持っている。戦争を繰り返しているイスラエルが「戦力を持っていない」と主張すれば、世界中から嘲笑される。イスラエル軍よりもはるかに大きな戦闘能力を持っている自衛隊が〝戦（闘能）力〟でないという見解が、少数派であるとしてもどこから出てくるのか、私には全く理解ができない。少なからぬ学者の目は、〝曇っている〟としか言いようがない。学問に対する誠実さよりも、政権に対する媚、忖度、大勢に逆らうことへの恐怖、保身などが、事実を事実として認められなくしているのであろうか。そのような人は、学者や法律家の適性に欠ける人である。

もちろん憲法に書いてあろうがなかろうが、すべての国の国民には自分を守るために戦う権利は認められている。戦い方にはいろいろな形があり、ガンジーがイギリスと戦ったように非暴力的手段で戦うこともあれば、強力な武器をもって戦う手段もある。そのうちで、日本国憲法は、戦力をもって戦うということを、禁じているのである。他に解釈の余地がない明確な条文である。

そのような非軍事的な手段のみで国を守れるのか否かについては、議論があるのは自然なことではある。世界のほとんどの国は軍隊を持っていることからしても、軍事力を持たずに国を守ることの難しさは知ることができる。私は、現在の世界情勢の中で、非軍事的な手段のみで国を守る方法を創出するのは可能であるし、日本国憲法の下ではそれを追求するべきであると考えている（東道利廣『選挙という非民主主義』風詠社／２０１６年より）。

ただ、非軍事的な方法で国を守ることは、軍事的な方法で国を守ることよりはるかに困難な面も持っている。理不尽な侵略国を相手に、蛮行を許さない国際的なネットワークの構築、お互いの国の発展がお互いの発展にとって必要であるというような国同士の関係の構築、平和を守るということについての国民全体の揺るぎのない世論形成、最先端の技術を利用した侵略を許さない方法の創出などが不可欠である。

理不尽な相手国があるのだから、攻め込まれたときの自衛的戦力は持つ必要があるという主張も十分に理解できる。それならば、憲法を「我が国から軍事的攻撃はしかけない。相手国からの攻撃に対して国を守る防衛力は保持する」というような内容に書き換えなければならない。世界の情勢を見て、正々堂々と議論し、国民投票に基づいて国民の意思を憲法に反映すればよいのである。

「国際紛争の解決の手段として戦争は放棄する。戦力は持たない」と明記されている憲法の下で、正々堂々とした議論では思うような結果にならないことを自覚している歴代政府によって、こじつけの理屈が何重にも何重にも積み重ねられ、自衛隊は、最初は警察予備隊として創設され（1950年）、今は〝戦力ではないという看板をぶら下げた巨大な軍隊〟に成長している。そして、少なからぬ法律学者の目は曇らされ、口は封じられ、内閣の支配下に置かれている裁判官は国の政策に否定的な判定をすることを封じられ（次の項目4で三権分立の虚構を議論）、もちろん合憲ということも確定してはいないが、違憲の判定も下されていない状態のまま、世界6位の戦闘能力を持つ軍隊となっている、これが自衛隊の姿である。

4　三権分立を破壊している憲法79条80条

なぜこのような歪んだ法体系ができてしまっているのか。それは、ひとえに司法の機能が働いていていないからである。

強いはずの上位の法が下位の法や省令に無残にも蹂躙されていたり、先に作られた法律が破棄されることなく、それと矛盾する法律が後から制定されたりという場合が少なくない。実際の政策はより具体的な下位の法や政令、省令によって実行されるので、強いはずの上位の法は国会の議決を経ていない政令や省令にさえ蹂躙されることがある。新しい法律を作るのであれば、それと矛盾する既存の法律はきちっと廃棄しなければならない。廃棄しないで、後でできた法が優先されるという法解釈の慣例（？）などという曖昧さを残しているから、矛盾だらけの醜い法体系ができてしまうのである。また、多くの一般国民は、国会で議決された法律も内閣が出した命令である政令も、各省の大臣が出した命令である省令も、同じような重みを持つ〝法〟と受け止めてしまう。

本来は、違憲立法審査権を持っている裁判所が、法体系の矛盾を処理しなければならないが、三権分立とは名ばかりで、裁判所は国の政策にかかわる重大な判断は一貫して避けている。それどころか、裁判所自身が法体系と矛盾するような判例を作り、法体系の崩壊の要因を生み出している。そのことを詳しく調べてみたい。

(1)「統治行為論」は、「法治主義」を投げ捨てる暴論

「〝国家の統治にかかわるような高度な政治性〟を持つ問題については、法律判断が可能であっても、行わない」というのが「統治行為論」と言われる立場である。このような立場は、我が国のどのような法にも書かれていないが、司法界はこの「統治行為論」に支配されている。「統治行為論」を認めれば、司法は、自ら「法治主義」を捨て去り、統治者

は重要問題において、法に縛られることなく何でも行うことができる。

司法の独立を明記した日本国憲法第76条③には、「……裁判官は……独立してその職権を行ひ、……憲法及び法律にのみ拘束される」と記述されている。司法は憲法と法律にのみ拘束されるのであって、憲法や法律を超える統治行為などというもので判断が左右されてはならないことが、他の解釈が入り込む余地のない形で書かれている。

「統治行為論」が憲法76条に反するものであることは明々白々であり、いかに危険なものなのか、述べるまでもない。「戦力を持たない」という憲法があり、それに違反して軍隊を作ったとしても、それが高度な政治性を持つ国家の統治行為であると見なせば、裁判所は司法判断をしないのである。

深刻なのは、現状が、「統治行為論」が司法界の外からの圧力としてかけられ、司法界はそれと対峙しているというのではなく、司法界の中にいる法律家・裁判官（全員ではないと願っているが）が「統治行為論」を認めているということである。裁判官自身が「国家の大切な問題については、憲法や法律は関係ありません。統治者の思うようにしてください。私は、裁判官として憲法76条に違反していますが、私自身の憲法違反も、統治行為論の適用によって不問にされるはずです」と表明したとすれば、後は無法地帯が無限に広がるだけである。

そして、残念なことに、実際そうなっているのである。日米安保条約、自衛隊、国会の解散権などについて、憲法違反が争われたすべての基本的重要問題は、「統治行為論」絡みの議論によって、司法判定が下されていないままになっている。

統治行為論を持ち出していること自体が、「法的な判断をすれば憲法違反となる」ことを表明しているのである。合憲という判決を下すことができるのであれば、統治行為論など持ち出す必要がないからである。そもそも、「統治行為論」は憲法76条と矛盾するものであるから、統治行為論を根拠とする判決はすべて憲法違反である。社会の基本問題について、裁判所自らが、統治者の権力に頼って、憲法違反を犯している国、悲しいことに、それが私たちの国である。

ただ、長沼判決と言われる、自衛隊の違憲性が争われた札幌地裁の判決（１９７３年）は、異色な判決であり、自衛隊の存在に対して司法判断を下した唯一の判決である。もちろん判決は憲法違反である。この判決は、一般的には「統治行為論」を認めながら、この裁判においては「統治行為論」を適用しなかった。この判決は、上級裁判において覆され、実際的効力は失われてしまったが、この判決を否定した上級裁判は、自衛隊の合憲・違憲の判断を下さず、別の理由を持ってきている。したがって、札幌地裁のこの判決が、自衛隊の存在そのものに司法判断を下した唯一の貴重な裁判である。この判決を下した裁判官は、裁判中も様々な圧力を受け、一時は辞表を出すところまで追い込まれたが、最終的には裁判官としての良心を貫いた。ただ、判決後、退職までの16年間ずっと冷遇され続けたと伝えられている。

(2)「統治行為論」と憲法79、80条で裁判所が内閣の支配下に

なぜ、このような残念な状態になっているのか。日本国憲法第79条と80条が原因である。全体的には民主主義を基調としていると評価されている日本国憲法であるが、憲法79条80条は司法の独立性を完全に奪う致命的な欠陥である。この条文のおかげで、裁判官が内閣の支配下に置かれ、三権分立や法治主義を守る、誠実な人間は裁判官になりにくくなっているからである。実際に条文を見てみよう。

「最高裁判所長官は内閣の指名によって決められ(憲法6条2項)、他の最高裁裁判官も内閣の任命によって決められ(憲法79条)、下級裁判所の裁判官も最高裁判所が提出した指名名簿に基づいて内閣が任命する(憲法80条)」となっている。時の政権担当者の任命がなければ裁判官になれないのである。

人事権を完全に握られていて独立な判断ができる訳はない。時の政権に対して批判的な見解を持っている人間だけでなく、「統治行為論」という暴論を認めず、あくまで法に従って客観的に判断しようという姿勢を持っている人間は、裁判官として任命されないということが起きてもなんら不思議ではない。

私自身、義務教育時代に受けた教育で、日本は三権分立の国であり司法は独立していると教えられ、長い間それを信じてきたが、大きな間違いであった。日本を三権分立の国と評価することはやめにしなければならない。

国民に与えられた「最高裁裁判官の国民審査の権利」などは、三権分立という観点からは全く役に立たないものになっている。正解のない選択肢を用意されているだけである。政府のお眼鏡にかなった人物以外は選択肢には入る余地がないからである。仮に、そのときの最高裁の裁判官すべてを不信任で罷免したとしても、次に出てくる裁判官も内閣に任命された裁判官しかいないのである。

「統治行為論」に異論を唱えるような裁判官を内閣が任命するだろうか。法律学者の中には「統治行為論」に批判的な学者は確かにいるが、裁判官でそれを表明している人は聞いたことがない。実際、「統治行為論」を拠り所とする判決は幾多となく出されているが、否定するような判決は一度も出されたことがない。自衛隊を憲法違反と断罪した札幌地裁の長沼判決でさえ、一般的には「統治行為論」を肯定している。司法界は内閣によって完全制圧されているのである。このようなことを知りながら、日本は三権分立の国であると言うならば、またこれから大人となる子どもたちにそのように教えるならば、二重に罪を犯すことになるだろう。子どもたちには真実を教えた上で、将来を託すべきである。

我が国の法体系が醜いことの根本原因は、三権分立を明記した憲法76条が、「統治行為論」を媒介にして、実際的には憲法79条と80条によって蹂躙されていることにある。ちっぽけな〝時の政権の意向〟と、国全体の現在と未来を決定する〝法体系〟、どちらが重いのか。提起するのも恥ずかしいほど明白な問題である。日本社会は、恥ずかしいほどに法体系が醜く崩壊しているのである。

5　究極の醜さ　安倍自民党の憲法9条改正案

そして、究極の醜さを目指しているのが、自民党の憲法9条の改正案である（2020年時点の案）。安倍自民党総裁は、こともあろうに憲法9条に3項（自衛隊の存在を明記する予定）を付け加える案を打ち出してきた。3項による2項の蹂躙という、すでにある条文に矛盾する条文を付け加える手法を使っている。

世界第6位の戦闘能力を持つ自衛隊が戦力でないなどというごまかしは、国内でこそある程度通用しているが、自衛隊が戦力でないのなら、世界で戦力を持つ国は5か国以内であり、国際的には通用するものではない。

司法界を支配している内閣は、自衛隊法が違憲であるとの判決が出ないように封じており、自衛隊の存在をなし崩し的に認めさせている。しかし、それだけでは批判を抑え込むのには不十分と感じていることも確かである。違憲立法審査権を完全に封じるために、自衛隊に関する記述を憲法に格上げしたいのである。そして、安倍内閣の安倍内閣たるゆえんであるが、堂々と9条の2項を廃止して戦力を保持すると言わないで、2項に矛盾する3項を付け足すことでそれを行いたいのである。

安倍自民党による改正案で、憲法9条は「①戦争はしない」「②戦力は持たない」「③世界6位の戦闘能力である自衛隊を持つ」という矛盾する3項を持つ、世界でも最も醜い条文に転落させられようとしている。

自衛隊が災害救助などで重要な役割を果たしていることをもって、自衛隊の存在が国民に認められたとする議論も全くの暴論である。災害救助の活動にはミサイルも戦車もいらない。自衛隊を解散させて、災害救助隊や武器を持たない海上保安隊に再編されるのであれば、私も含めて国民は大賛成であろう。

安倍総裁がその政治信条から、国の防衛を担う軍隊として自衛隊を確立させたいのであれば、きっちりとそのことを表明し、憲法9条をすっきりと書き換える提案をすべきであった。「国際紛争を解決する手段としては（戦争を）放棄する」という条文は、「自衛のための戦いは放棄しない」という内容に書き換え、第2項は「自衛のために必要な戦力を持つ」という内容に書き換えて提案する以外にない。

繰り返し述べているように、国民投票という手段は現在考えられる国民主権を実現する制度として、最も民主的な方法であると思われる。ただ、提案の中に明らかな矛盾がある場合は、提案として成り立っていないという判断をすべきである。もちろん、そんな提案は投票にかける前に却下されなければならない。安倍自民党案は投票にかける前に却下されなければならない。その判断ができるか否か、日本の法治主義、民主主義のレベルが試されることになる。

国会での議論をしっかりと行い、十分な日数をかけ国民の間で十分に議論を深め、国民投票にかければよいのである。民主的な手段で国民全体がしっかり考えて出した結論ならば、結果によらず、長い目で見れば日本社会の進歩につながるであろう。

全国民が対等な立場で自由に議論してたどり着いた結論ならば、後にそれが実情に合わないと判断されても、また同じ方法で訂正することもできる。人間は誤った判断をしないというのは大きな勘違いである。試行錯誤を繰り返し、より良い結論に近づくのが人間のやり方である。それが人間の編み出した民主主義という方法である。

民主主義の一番の障害は、自由な意見表明を何らかの力によって圧殺することであり、また、議論をごまかすことである。意見を戦わせるとき、互いの論点が明確になることを心掛けなければならない。ごまかしが入れば、お互いの意見が整理できなくなり、間違ったときも何を直せばよいかわからなくなる。試行錯誤によって正解に近づくという一番大切な点をおろそかにすることになる。

ここ数年の自民党政権（安倍内閣）のやり方で際立っているのが、国民が公正な判断をすることができなくするような、議論のごまかしや、官邸からの圧力による言論操作である。報道機関（ＮＨＫ、民間放送局、新聞社）に対する細かな報道内容のチェック、芸能人、スポーツ選手などの有名人などを利用した世論操作、またインターネットや大手広告会社や出版社を利用した宣伝作戦、また、気に食わない報道記者、圧迫や取り込み作戦に乗ってこない正義感の強い官僚や記者、発信能力の高い人物への個人攻撃である。

そして特に重要なのは、官僚の人事権を内閣がほぼ完全に掌握することで、誠実に職務に取り組む官僚の居場所を奪っていることである。自ら行う議論においては、公文書隠し、文書改ざん、資料改ざんなどによる虚偽答弁や、正面切って議論しないすり替え論法がしばしば行われるが、虚偽答弁に貢献した人物が国家機関の中で重要な地位を獲得している。

出世を願う官僚は、首相に忖度することをまず考えるようになる。裁判官が憲法79条と80条によって内閣の支配下に置かれているのと同じように、官僚はすべて人事権を首相官邸に掌握されることで首相の支配下に置かれるのである。そして最近急展開を見せているのが、検察庁法の改正である。政府機関でありながら一定の独立性を持ち、〝法の番人〟と言われる検察庁が、あからさまな〝内閣の番人〟に変えられようとした。

司法が内閣の支配下に置かれ、あらゆる重要問題に司法判断が歪められ、民主主義の前提である法治主義を蝕んでしまっているとすれば、悲しいことではあるが、しばらくは歴史の逆流が止められないであろう。国会内での議論のみに目を奪われてはならないとしても、国会における議論には常に関心を持っていなければならない。もちろんしっかりと法治主義の立場から議論している議員も与野党内に存在している（与党ではごく少数）が、野党であっても自衛隊は国民に認められた存在であるとして、法治主義を投げ捨てている議員も少なくない。

世界有数の軍隊の存在を是認してしまった上で、「戦力を持つべきとか、持つべきでない」という議論をして何の意味があるというのだろうか。目の前にある30万人の強大な軍隊の存在から目をそらして、どんな憲法9条の論議ができるというのだろうか。どのように条文が変えられても、条文と現状の矛盾を問題にしないのであれば、条文はただの飾りである。現在の9条の下でも、「防衛のために〝敵基地攻撃〟をすべきである」というような、とんでもない議論が起きている。

戦後生まれの私は、戦前、国民がどのようにして戦争に駆り立てられたのか、実体験はない。しかし、現在の日本の状況を見るならば、大変悲しいけれど、国民が戦争に引きずり込まれた様子が、少しは想像できる。

第Ⅶ章

「20世紀社会主義」の失敗　二つの視点から考える

資本主義後の社会について議論する限り、避けて通れないのは「20世紀社会主義」の失敗である。

資本主義の矛盾を最初に誰よりも深く洞察したマルクスが、資本主義後の社会を社会主義社会とし、その実践としてソビエト連邦が誕生し、それに続いて社会主義を掲げる国々「20世紀社会主義国」が誕生した。それらの国々のほとんどが崩壊したのだから、その検証を抜きにして、資本主義後の社会について語ることはできない。

十把一絡げに失敗と片づけたが、詳細な情報が私たちに届けられているわけではない。ただ、ソビエト連邦と「東欧社会主義国」は崩壊し、中華人民共和国は国家主導のとんでもない人権抑圧と搾取の国となっている。また、朝鮮民主主義人民共和国（北朝鮮）は、資本主義国よりもさらに時代遅れの世襲制の独裁国家として存在している。これ以外の「社会主義国」についても、少なくとも資本主義諸国に対抗する明るい勢いは伝わってこない。

資本主義が十分に発展していない状態からではあるが、世界大戦という危機の中で革命が起き、世界で初めての〝労働者の国〟として誕生したソビエト連邦は、８時間労働制など人類史に残るべき価値のある制度を実現させたが、発足後早々に、ある意味で資本主義国の労働搾取よりもひどい国民抑圧が蔓延する国に変質してしまった。また、資本主義国の不況よりもひどい経済的停滞状態から、生活必需品にも事欠く状態が慢性的となり、さらに、非生産的軍事競争に明け暮れ、自壊した。

ソビエト連邦の影響下にあった東欧の多くの国々も、国民抑圧の実態が明らかになり、ソビエト連邦と同じような結末を迎えた。このことを、少なからぬ論者は、〝社会主義の敗北、資本主義の勝利〟と評しているが、正しくは〝20世紀社会主義の失敗〟と言うべきである。

労働者の希望として誕生したはずの国が、搾取と抑圧を特徴とする国に転落した原因を突き止めることは、二度と同じ失敗への道に踏み込まないようにするために、絶対に避けて通れない作業である。私は、二つの視点から分析すべきであると考えている。一つは民主主義という視点であり、もう一つは「生産性向上・生産力向上の達成」という視点である。

ソビエト連邦についての詳しい情報が一般に知らされていなかったこともあり、私自身、30年ぐらい前までは、間違った評価をしていたと反省せざるを得ない。近年、古い文書などが公開され、ソビエト連邦成立の時点から民主主義破壊の種が播かれていたことが明らかにされ、研究者によって一般に知らされている。その種が芽を出し、大きくなり、一党独裁から、さらに個人による独裁まで行きついた経過をたどり、その思想的根源を明確にしたい。第二の視点については、ソビエト連邦でどのような経済政策が採られてきたのかを概観し、連邦発足後、早々と社会主義の経済原則から逸脱していたことを議論したい。

1　民主主義の視点から

(1) ソビエト連邦成立過程に潜む民主主義破懐の芽

第一の視点から、「20世紀の社会主義」の象徴であるソビエト連邦を見てみよう。

19世紀、ロシアの民衆は専制君主による圧政に苦しみ、それからの解放運動が絶えない国であった。20世紀になっても解放運動は成就せず、テロや弾圧の応酬に社会不安が高まっていた。1905年の革命（ロシア第一革命）は、「血の日曜日事件」で幕が切って落とされた。この事件は、公認の労働者親睦団体責任者であった聖職者ガポン神父によって組織された首都労働者が、搾取と貧困にあえぐ民衆の要望（「労働者の法的保護、日露戦争〈1904年～1905年〉の中止」など）を掲げて行った請願行動に対して、軍隊が銃撃を加えた事件（犠牲者1000～4000人）である。これを機に反政府運動や暴動が全土に広がり、言論・集会・結社の自由や国会の機能の改善などの民主的権利が国民に約束されて収束した。労働者のソビエト（協議会や評議会という意味）もこのときに結成されたが、すぐに弾圧の対象とされた。

ロシア第一革命には、全体を指導する組織がなく、目的が異なる様々な組織が入り組んだ形で関わり、偶発的な展開をもって達成された。そのような弱点から、帝政を倒すことはできず、達成された課題は、その後大きく後退した。社会主義革命を目指していた活動家レーニンは、労働者の力の大きさに注目すると同時に、明確な方針と強力な統率力を持って変革を進める、強固な指導組織（前衛党）の大切さを痛感した。

世界は激動の時代に入り、1914年第一次世界大戦が勃発した。革命家レーニンは、どのような方針でこの時代に立ち向かうのか、精力的活動の中で進むべき方向を模索した。戦争を通して、国家の機能について認識を固めた。国家権力の統制力について、その害悪と同時に革命の達成と維持のために活用することの意義も見出した。「帝国主義者によって引き起こされた戦争を内乱へ転化」し、「プロレタリアートの国家（権力）を樹立」し、「社会主義革命を目指すべきである」という方針を固めた。

1917年2月、戦争によってロシア国内で矛盾が爆発的に噴き出し、専制と戦争に反対する首都労働者のゼネストに呼応して兵士が反乱し、300年続いたロマノフ王朝による支配体制が倒され、臨時政府が作られた（2月革命）。亡命先のスイスから急ぎ帰ったレーニンの指導するボルシェビキは、穏健な決着を望む臨時政府は社会主義への道を閉ざすものとして支持せず、「労働者・貧農・兵士ソビエト（協議会）で権力を握り社会主義へ」と訴えた。レーニンには臨時政府から逮捕状が出され、潜伏状態での活動を余儀なくされた。この、臨時政府とボルシェビキの権力争いはソビエトの力に依拠したボルシェビキの勝利で終わり、ロシア社会主義革命（10月革命）が成就した。「即時停戦と民主的講和・すべての民族の自決権を保障・地主の土地を没収・生産に対する労働者の統制・都市に食糧、農村に生活必需品を」という行動綱領が即時実施された。

この革命前後の激動期、亡命や潜伏の中で革命家レーニンの実践的な思想が固められた。『帝国主義論』『国家と革命』という思想家レーニンを特徴付ける著作は、この時期のものである。ボルシェビキの指導者として彼は次のような明確な方針を持つこととなった。「資本主義は19世紀から20世紀初めに独占資本主義・帝国主義の段階に入った。列強は世界分割を終え、再分割のために世界戦争が引き起こされている。戦争から人々を救うためには帝国主義を倒さなければならない」「戦争は社会主義革命によって終了させなければならない」「戦争を内乱へ転化し、支配者の国家（権力）を労働者の国家（権力）に変えなければならない」「支配者の独裁（権力）に取って代わって、プロレタリアートの独裁（権力）が必要である」というものであった。

確固たる方針を持った指導者集団である前衛党が、労働者の要求を掲げて労働者の力を結集し、労働者の国家（権力）を作ることを最優先課題とした。目まぐるしく変化する情勢の中でボルシェビキは、労働者の国家を守るためとはいえ、躊躇なく強権的手段を用いた。臨時政府が準備した憲法制定会議では少数派であったボルシェビキは、ソビエトの力を背景に憲法制定会議を解散させた。反対勢力を活動禁止にし、かつて自らが弾圧されていたように相手を弾圧した。レーニンも命を狙われることになり、狙撃され、２発の銃弾が活動力と寿命を大きく縮めることとなった。その後、テロの応酬も激しくなり、本格的内戦状態となり、ボルシェビキは内戦を勝ち抜いた。

生まれたばかりの社会主義国を支えるのは、労働者・農民・兵士のソビエトであったが、農民の一部がロシア共産党（ボルシェビキを改名）支配に反乱を起こすという事件が起きた。このときレーニンは農民の反乱を軍隊の力で弾圧するという手段を用いてしまった。また、ロシア正教会も弾圧の対象とし、その財産を没収し、それに抵抗する聖職者を処刑した。１９２２年まで続く内戦の中で、結果的に、ロシア共産党の独裁的性質が固められた。この時期の、レーニンの発した言葉の端々から、このような結果は極力避けたかったことであるという心情は伝わってくる。しかし、避けたかったことを、やってしまったのである。

圧政で苦しむ民衆の解放のために革命家となることを決意したレーニンは、列強諸国が世界を再分割するために起こした世界戦争という最大級の暴力をなくすためには帝国主義を倒さなければならないと、内乱を起こすことで戦争をやめさせ、プロレタリアート独裁を実現し、それを指導する強力な党の建設を成し遂げた。しかし、戦争を転化した内乱は内戦に発展し、プロレタリアートの独裁とそれを指導する党は、別の形の民衆抑圧の芽を育ててしまった。

これらの責任のすべてを、戦争という厳しい情勢の中で、資本主義が未発達な段階にあるロシアでの社会主義実現の可能性を追求したレーニンに負わせることは酷ではある。「それでは、世界戦争とそれを遂行するための凶暴な弾圧を目の当たりにして、他にどのような方法があったのか、世界戦争を止めなくてもよいのか」と問われれば、答えに窮する。レーニンのとった方針とは異なる、戦争を終結させるより良い方針がその時代に可能であったのか、誰も確かな答えを持っているわけではないだろう。しかし、ソビエト連邦のその後歩んだ歴史を知っている私たちは、資本主義後の社会建設のためには、レーニンとは別の道を探さなければならなかったと断定せざるを得ない。

レーニンの後を継いだスターリンによって、民衆抑圧の芽はとんでもなく大きく育ってしまった。反対意見を弾圧するという手法が限りなく広げられた。何と、反対派を弾圧するやり方は党内にも採用され、共産党員の9割がスターリンによって粛清されたと言われている。共産党はスターリン党になってしまったのである。そのような結果になってしまったのは、粗暴と言われたスターリンの個人的資質によると論じられることも少なくないが、権力によって反対意見を弾圧するというのはスターリンだけの手法ではない。革命を達成し、その成果を守り、またそのための指導党を守るために用いた手段によって、指導党は自ら変質し、守るべき社会主義は早々と内部から崩壊してしまったのである。

ソビエト連邦によって「労働者の国が誕生し、8時間労働制が実現した」と世界中の労働者を励ました功績は不滅であるが、その後のソビエト社会の実態がその功績のほとんどを台無しにしてしまったのも事実である。いくら遠回りであろうと、民主主義の芽をじっくりと育てていく以外に、〝望むべき未来社会〟にたどり着く道はないということを、私たちはソビエト連邦の歴史から学ぶべきである。

(2) 独裁者が出現した背景の思想

注目すべきは、「20世紀社会主義国」の失敗の共通点である。それらの国々では、識字率が20％未満で、教育が行き届かず、したがって民主主義の未発達な状態であった。帝国主義者が世界を再分割するため始めた戦争を契機として社会変革の運動が起き、厳しい弾圧の下で革命に発展し、プロレタリアート（とは限らないが）の独裁と評される国家が生まれ、階級の独裁が指導党による独裁に変質し、さらに、党による独裁は一人の指導者の独裁に変質するという、似たような軌跡を描いて崩壊している。

戦争という、相手を倒すことが目的である行為の中で、相手国を倒す力が強い国が生き残り、相手の党を倒す力が強い党が生き残り、最後は〝最強最悪の個人〟が独裁者として君臨した。戦いの中で、出発点の思想は忘れ去られ、結局は戦闘力がすべてを決めてしまった。

歴史上の独裁者の中で、最悪の3人を挙げよと言われたら、私は、毛沢東、ヒトラー、スターリンを挙げる。もちろん、著作などを通して知っているだけなので、他にももっと酷い独裁者がいたかもしれない。ヒトラーとスターリンについては、歴史的評価がある程度下っているが、毛沢東については、特に中国内では、全体的評価が確定していないのではないだろうか。今も、その肖像画は天安門広場に掲げられ、また紙幣に使われている。まさに国を代表する歴史的英雄である。

ユン・チアンが、膨大な資料と聞き取り取材に基づいて出版した労作『マオ 誰も知らなかった毛沢東』（講談社／２００５年）は、私には衝撃的であった。毛沢東がどのような過程で革命運動に関わり、〝建国の父〟と言われるようになったのか、克明に書かれている。あれだけ詳しい毛沢東の記述は他に知らない。私の毛沢東に関する知識はユン・チアンの労作によって、完全に〝上書き〟されてしまった。この労作が真実を記述したものならば、毛沢東はもともと社会主義とは縁もゆかりもない人物で、同志を裏切ることでのし上がっていった、冷酷でずるがしこく残虐な権力と欲望の亡者でしかない。

例えば、毛沢東は旧日本軍との戦いを勝利に導いたことで英雄となったが、実際は、蔣介石の国民党を倒すためには、一時的に日本軍と協力関係まで築くことも厭わなかった。文化大革命の大罪については、ある程度歴史的評価も固まっているが、醜悪極まりない権力争いである。同志である他の共産党員を次々と殺してしまうやり方は、スターリンと共通している。どんな理念も大義もなく、ただ、目の前の敵をやっつけるためにどんな手段も厭わない。イギリス人との結婚によって国外での作家活動をしているユン・チアンのこの労作は、アメリカとヨーロッパで大ベストセラーとなったが、中国の人々に届いていないのは本当に残念である。

毛沢東の独裁ぶりは、どんな理念や思想によるものでもなく、超思想的（あえて言えば〝権力絶対思想〟）なものであると、私は考えている。私たちが学んできた歴史を振り返ってみれば、このようなことは、「20世紀社会主義国」のみならず、また毛沢東の例に限らず、すべての時代と社会で頻繁に起きてきた現象であることに気付かされる。

何事も、最終的には武力・暴力で決着がつけられてきた歴史がいかに多かったことか。武力・暴力・弾圧による決着・独裁は、民主主義の正反対の概念である。私たちが目指すべき未来社会は、民主主義の問題について深い理解と明確な展望を持たなければならない。社会主義は、社会のすべての構成員を大切にする考え方である。マルクスやレーニンによって体系付けられた社会主義の中に、力によって反対勢力を抑え込むことを是認する考え方の芽があったとしたら、それは、社会主義と対立する考え方が不純物として混在していたということになる。資本主義国家を「ブルジョワ独裁」と見なし、社会変革には「プロレタリアート独裁」（マルクス『ゴータ綱領批判』初版1891年より）の段階が必要とされる「社会主義国際運動」は、多くの国々で似たような軌跡をたどり、極めて非民主的な社会を生み出した。「弾圧には弾圧でやり返す」「独裁者を倒すのに独裁的な手段を用いる」、そのような応酬の結末は、歴史が示している通りである。私たちは歴史の事実に正面から向き合い、同じことを繰り返さないことを考え方の原点に置かなければならない。

2 生産性の向上の視点から早々に社会主義を捨て去ったソビエト連邦

第二の視点、生産性向上・生産力向上という視点から「20世紀社会主義」の失敗について考えてみよう。

生産性の向上によって、消費しきれないほどの大量の商品があふれる資本主義社会に対して、本来、皆が平等に豊かになることを目指したはずのソビエト連邦で、国民の生活必需品を手に入れるのにも事欠く経済停滞が生じていた事実は、日本でも広く伝えられていた。

次のような話を紹介しているソビエト留学経験者による著作も、その一例である。「学生にとって必需品であるノートは年に1～2回しか売りに出されず、1人5冊までという制限のために行列を作る。朝6時から並ぶと2回買えるので10冊手に入る。トイレットペーパーなども似たような状態であった」（佐藤優・鎌倉孝夫『21世紀に「資本論」をどう生かすか』金曜日／２０１７年より）。このような日常生活にも不自由をきたす事態を招いた大失敗に正面から向かい合い、根本的な原因を明らかにしなければならない。

資本主義的営みの中には、生産性向上や新しい技術の開発に対する動機が自動的に組込まれている。勝ち残った企業・資本家は、生産性向上、新技術の開発、新商品の開発、消費者のニーズの掘り起こしの成功者ばかりである。一方、「20世紀社会主義」においては、経済活動の中に、生産性の向上・生産力の向上・より利便性の高い品物の開発などに対する動機を組み込むことができなかったのは事実である。

レーニンは革命直後「労働生産性を巡る〝闘い〟が最終決戦の舞台である」と、労働生産性を高めることの重要さを強調していた。ここでの〝闘い〟とは、生産手段が社会化された企業が、資本主義的な個人企業よりも効率的で生産性が高くなることを実証する、という意味であった。そして、それを達成するためには、労働者の自発的な勤労意欲の高まりと、進んだ技術を先進国（例えばアメリカ）から学び取り入れることが大切であると考えていた。しかし、スターリンの時代になり、１９３０年代には〝闘い〟が全く別の意味となってしまった。その経過を概観する。

10月革命直後のソビエト連邦は、内戦によって国土は荒廃し、生産力は著しく低下していた。このときに重要産業や銀行の国有化、土地の国有化を宣言し、革命に敵対する貴族や資本家、地主の資産を没収した。さらにその後、工業、商業、鉄道など、企業全般が国有化され、それに反対する経営者は粛清されたり追放されたり亡命を余儀なくされた。社会主義の拡大を警戒する外国からの干渉に飢饉が重なるという不運もあり、都市での食糧不足が大問題となり、食糧徴発制度を採らざるを得なくなった。農民から多くの穀物を取り上げ、ウクライナで多数の餓死者が出る状態も生まれた。著しい生産性の低下が物価の高騰を招き、貨幣の信用が著しく低下した。この困窮状態と激しいインフレの時期は、「戦時共産主義」の時代と言われている。農民を弾圧するという決定的な誤りも、この時期に行われた。

１９２１年から、新しい経済政策が始まった。食糧徴発制度は廃止され、農産物の自由取引も一部認められ、国有の大企業は「独立採算制」になり、一部の企業は国有化が解除され私企業となった。外国資本の導入も認められた。市場の積極的役割が評価され、私企業と国有大企業が共存する形で経済が復興し、戦争と内戦で落ち込んでいた経済は、戦争前の最高水準まで回復した。まさに生産性を巡る〝闘い〟が行われ始めたと考えられるこの時期は「ネップ（新経済政策）」時代と呼ばれている。

国有企業と私企業の共存状態から、より合理的で効率的な経済制度を模索するかに見えたソビエトが、決定的に道を踏み外すのが、レーニンの死後、実権を握ったスターリンによって進められた経済政策であった。

市場の意義は否定され、再び一律的に企業の国有化・公有化が進められ、農村はコルホーズ（協同組合方式農場）とソフホーズ（国営農場）に無理やり統合された。スターリンは、ネップによって生まれたわずかな貧富の差も認めず、クラークとかネップマンと呼ばれる富農や個人営業者を〝資本家の卵（放っておけば資本家になる者）〟として、潰してしまう方針を採った。

この場合の〝富農〟という言葉は、全く実態を表していなかったということが報告されている。例えば、馬を持っていない農民を〝貧農〟と呼んでいるとき、馬を2～3頭も持っていれば〝富農〟と見なされたということである。生産性を巡る〝闘い〟は経済的効率に関することであるにもかかわらず、スターリンは弾圧という手段を用いた〝闘い〟で終わりにしてしまった。スターリンは資本主義復活の芽を摘んだつもりかもしれないが、効率的で合理的な経済システムが育つ芽を摘んだのである。

試行錯誤によって、戦争の荒廃から復興しながら効率的合理的な制度を模索していたソビエトは、スターリンの政策によって、国家による統制経済に変質させられた。もちろん、そのような無理を通すときには暴力が使われる。スターリンに反対する者はどんどん粛清された。同じ共産党の同志であっても、むしろ自分の地位を脅かす存在として、多くの人物が容赦なく抹殺された。

例えば、理論家として高い評価を受けていたブハーリンは、その代表者の一人であろう。

この時期にスターリンの政策に異を唱え、追放され、後に銃殺された。数十年後、ゴルバチョフ政権でのペレストロイカによって、やっとブハーリンの名誉が回復された。

スターリンの経済政策は、１９２８年から「5カ年計画」という形で始められた。スターリン時代は第４次まで5カ年計画が出されたが、彼の死後も、またフルシチョフによる「スターリン批判」の後も、経済政策は5カ年計画という形で出されている。

スターリンの政策の特徴の第一は、既に述べたように、生産手段の私有を一切認めなかったこと、私的な経済行為を認めなかったことである。その結果は、皮肉にも、生産手段の私的所有を廃止しても搾取をなくすことができないということを〝実証〟したことになった。

生産手段をすべて国有にしても、国の政治を牛耳る特権的な層による搾取をなくすることができなかった。このような搾取は、資本主義よりも古い時代にも行われていた。その意味では、ソビエト連邦は資本主義よりも古臭い社会であったとも言えるのである。

二番目の特徴は、市場の機能を評価せず、活用しなかったことである。言うまでもなく、市場は、人々がどのような物資やサービスをどの程度求めているのかを明らかにするという、重要な機能を持っている。人々が求めていない物を生産しても無駄になり、求めているものを生産しなければ人々は困窮する。そして、実際、ソビエト連邦の経済は、無駄と困窮がありふれた状態になってしまった。

生産量は国家計画委員会で定められ、国家の上級機関から下級の機関に厳格な命令という形で下された。現場は、農場も工場も何ら生産計画では権限を持たない、中央集権型行政機関の末端組織であり、単にノルマを課されるだけの存在となった。国家の統制は「鉄鋼や穀物からチョッキのボタンまで」と言われ、あらゆる物資にわたっていた。

生産命令が、懲罰付きで押し付けられることから、誰も異論を述べなくなる。〝粛清の怖さ〟は労働者から創造性を奪い、上級機関に認められる範囲で手を抜くということが労働者の最大の関心事になってしまう。言い訳さえできれば、どんな粗悪品であれ命令通りの生産量を納めさえすればよいことになる。ソビエト連邦では粗悪な石鹸が使われずに倉庫に積まれているというような話が、日本にもよく伝えられていた。国民生活の必需品が不足する事態は、必然的に起きたことである。

第三の特徴は、急速に重工業に偏った工業化を進め、食料や生活用品分野が軽視されたことである。特に、ソビエト連邦が世界中で戦争に関わり出すと、軍需産業の膨張としてこの傾向が強められることになる。官僚の中でも軍関係の官僚が力を持ち、ソビエト連邦では軍事費の膨張が止められなくなった。崩壊時のソビエト連邦では軍事費は予算の約30%であったと言われている。その結果、日常生活用品を買い求めるのに長い行列を作らなければならないような、貧困で不便な社会となってしまった。

そして次の第四の特徴が特に重大であるが、「働きに応じた報酬制度」という、社会主義にとって本質的な課題を完全に反故にしてしまったことである。私たちは長い間、「ソビエトは社会主義国である」と誤解し続けてきたのである。

国家の政治に携わる人物はすべて共産党の任命・承認が必要という独裁制度の下で、「ノーメンクラトゥーラ」と呼ばれる共産党幹部層が特権的利益を享受してきた。党幹部が、資本主義国の企業役員・経営者のような立場にいて、高い報酬と特権を得て、資本主義国の搾取にあたる行為を行っていたと言える。一握りの特権的な層には厚遇が約束される反面、圧倒的多数の労働者は、働きに無関係な報酬制度で搾取され続けるという、党に私物化された国家による搾取社会がソビエトの実態であった。

このような報酬制度の下では、当然のことながら、労働者の勤労意欲が低下する。するとノルマ達成の命令が強くなり、労働者の気持ちが離れていき、そしてノルマの命令と罰則が強くなる。止められない労働生産性低下の悪循環である。

１９３０年代に「スタハノフ運動」という労働生産性向上の運動が推進された。スタハノフという炭鉱労働者が、新しい掘削技術を用いて石炭産出量を画期的に増やし、ノルマを大きく超過達成した。そのことで、彼は「労働英雄」などの称号が与えられ、「スタハノフに続け」という、ノルマ超過達成運動のシンボルとされた。ノルマを大きく超過達成した労働者は「スタハノフ労働者」とされ、報酬などで厚遇を受ける。悪平等と評される賃金制度の中で、「スタハノフ労働者」だけが突出した存在になり、すべての労働者へのノルマの引き上げに利用される。もちろん、このような運動が成功することはない。

第五の特徴は、実はスターリンの政策の特徴と言ってよいのかどうかわからない。いつから始まったのか明確でないし、ソビエトが崩壊する直前までずっと続いていた、国家として致命的な悪弊である。国家統計の改ざんである。

例えば、最も基本的な国家財政において、統計上は黒字になっていたが、実は膨大な赤字になっていたというのである。ソビエト最後の最高指導者ゴルバチョフが就任したとき、このことに仰天したことが伝えられている。軍事費の膨張と国有企業の赤字がその主たる原因とされているが、最高指導者に上り詰める人物にさえ知らされてない国家財政の統計不正は、ソビエト社会の腐敗の根深さを物語っている（近年、我が国でも国家統計や公文書の改ざんが問題とされた）。

世界で初めての社会主義国として誕生したソビエト連邦の政策こそが社会主義的政策であると見なされるのは当然であり、実際、社会主義と言えば、「生産手段の私的所有の一律的廃止（国有企業・公有企業）」「計画経済（中央集権的統制経済）」「一党独裁」「悪平等の賃金制度」で、特徴付けられるとの誤解が広がってしまった。しかし、それらはすべて、ソビエトの制度ではあったが社会主義の制度ではない。「労働に応じた報酬（搾取の廃止）」が社会主義の経済原則であるが、ソビエトでは、資本家による搾取ではなく国家権力を利用した搾取、政治的手段による搾取が行われていたのである。

特別章

架空の、純然たる資本主義国の話（『資本論』で描かれる社会）

本論（Ⅰ～Ⅶ章）の内容をより深く伝えたいと考え、モデル的資本主義社会の営みをマルクスの『資本論』に導かれて記述してみました。搾取のしくみ、不況の必然性、インフレ政策の意味について考えていただければ幸いです。

この国の総人口は202人、資本家が2人（AさんとBさん）で労働者が200人である。分業化が完成され、衣食住の生活必需品から娯楽や芸術に関するもの、事務仕事やサービス、また更新される機械などの生産設備、新技術の研究のために必要なものなど、すべての有形無形の商品が、200人の労働者によって、資本家の所有する生産施設で生産されている。そして、その生産物は、施設の所有者であるAさんとBさんの所有物であり、市場を通して消費者（202人）に販売され消費される。労働者は、雇用され賃金を得て生活している。これがこの国の設定である。

労働力が商品のように扱われる

資本家が雇う労働者数は、次のようにして決まる。労働条件・賃金の額を決めるのは、生産設備の所有者であるAさんとBさんである。労働者は、AさんかBさんか選ぶことはできるが、どちらかに雇ってもらわなければ生活できない。労働者は条件の良いほうを選択する。その結果、労働に質的な違いがあっても、時間や疲労度などから、Aさんに雇用されるのもBさんに雇用されるのも同じであると労働者が判断した条件、平均的労働条件・平均的賃金に落ち着くのである。仮に、Aさんは80人、Bさんは120人の労働者を雇って落ち着いたとしよう。もちろん平衡は一時的であり、生産の拡張・縮小によって平衡点は変動する。このように、労働者（労働力）は、賃金や労働条件によって商品のように〝持ち主（雇い主）〟を変える。

商品の価格の決定（労働価値学説）

商品の価格は、どのようにして一定の値に落ち着くのであろうか。

仮にAさんのところでは、aという商品を、平均的技能の労働者が1人当たり1日1個の割合で生産しており、またBさんのところでは、bという商品を、1日2個の割合で生産しているとしよう。もしこのaとbが同じ単価で売られているとすれば、bという商品を作るほうが得である。

このアンバランスは市場によって解消される。資本投資が自由で変動可能であるから、Aさんはaを生産するよりbを生産するほうが有利であると考えて、aの生産を縮小しbの生産に移し替える。その結果、市場に出回る商品aは減り、商品bは増える。商品aは品不足となり高い価格でも売れるようになり、ｂは過剰供給になり価格を下げないと売れなくなる。ａを生産するほうが有利であるような価格になると、Ａさんはまたａの生産を開始しようとする。

このような市場の機能と投資の移動によって、変動しながら価格のアンバランスが解消され、ａの生産もｂの生産も同じ程度に有利であるというところ、つまり、ａという商品がｂという商品の２倍の価格となれば落ち着く。このように、生産に要した労働時間、つまり、投入された労働量によって商品の価値が決められる（労働価値学説）。〝時は金なり〟である。

賃金の決定（搾取の仕組み）

この状態で、この国の労働者２００人は、仮に、一カ月に総額３千万円分の商品をこの国に供給するとする。商品には、直接人間に消費されてその役割を果たし終える商品や無形のサービス（消費財）もあれば、他の商品生産のための原材料や、研究成果や技術、生産設備、生産設備の修繕サービスなどの商品（生産財）もある。

３千万円のうち、１千万円分が生産財であり、２千万円分が消費財であるとしよう。生産財の商品は、売り手も買い手もＡさんとＢさんである。お互いに生産財を供給し合い、消費し合い、原材料を加工し消費財を生産し、また、生産設備の拡張・維持などを行う。生産財の価値は、最終的には減価償却され、消費財の商品の中に移されて消費される。計算の簡略化のために、この1カ月にすべての生産財の価値が消費財に移されるとする（実際には短期間に生産財の価値がすべて減価償却されることはないが）。結局、200人の労働者が、この期間に新たに創出した商品の価値は2千万円分ということになる（生産財1千万円＋消費財2千万円－消費財に移された生産財分1千万円）。この国では、この2千万円分の商品はすべて生産手段を所有する資本家（Aさん、Bさん）のものであり、労働者には賃金が支払われるだけである。

賃金は、生産手段を所有している資本家が意のままに決める。Aさんは、「1カ月3万円であれば労働者は生活できないが、4万円あれば十分生活でき、ずっと働いてもらえるから、賃金を4万円としたい」と考えるとする。もし、Bさんも同じ考えならば、それで賃金が4万円に決まる。賃金決定の仕組みといっても、ただそれだけのことである。このような決定を変更できる要因は、労働者の集団的反抗を除けば、資本家同士の労働者獲得競争だけである。

大切なのは、賃金は労働者の働きとは無関係に、労働者の生活費を基準として決められるという点である。商品の価格（価値）が、生産費用（労働時間で測られる）で決められるのと同じように、労働力の価格である賃金は〝労働力の生産費（不謹慎な表現であるが）〟、つまり生活費で決められるのである。

賃金を4万円とすれば、資本家（Aさん、Bさん）は、200人の労働者に1人4万円の生活費（合計800万円）を渡して2千万円分の商品を手に入れることになる。この単純な仕組みが、この国では〝合法的〟とされる搾取の方法である。

賃金の本質について、極めて重要であるから、もう少し議論をしよう。現代社会の貧困の議論のために、絶対的貧困と、相対的貧困という概念が使われる。前者は、それ以下では人間としての最低限の生活さえ営むことができないレベルの貧困であり、例えば、世界銀行によれば、2008年時点の購買力平価換算で1日当たりの生活費が1・25ドル（140円弱）未満の状態を指している。この国では、資本家は、労働者に絶対的貧困レベル以上の生活費を与えればずっと働いてもらえるということで、4万円の賃金を払うのである。賃金に幅が可能なのは、生活費に幅があるからである。

現代の日本社会では、企業の業績によって賃金が変動するので、労働者の働きに応じて賃金が支払われていると誤解され、本質が見えにくくなっている。この純然たる資本主義国では、賃金の本質が赤裸々に現れている。冒頭で紹介した1833年の工場法成立当時のイギリスの賃金は、この国の賃金に近いものであった。無権利な労働者は、絶対的貧困に近い状態に置かれ、〝賃金奴隷〟と呼ばれるにふさわしい存在であった。つまり、ご主人様に生活は保障してもらっているが、自分の労働の産物であっても何一つ自分の所有物はないのである。

もちろん現代社会の賃金制度は、純然たる資本主義国からかなり離れたものになっている。労働は単純労働だけでなく、高度な技術や知識が求められる。雇用主は高度な技術を持つ人材を確保しようと、賃金に差を付ける。経営が順調な企業は、ライバル会社よりも賃金を高くする余裕を持っている。その結果、多くの労働者の賃金は、絶対的貧困のレベルよりは高いものとなっている。しかし、それは働きに正当に報いるためではなく、より良い〝労働力という商品〟を手に入れるためである。「生活費を与えて、与えた以上の価値を生産させる」という賃金労働の本質、搾取の仕組みは200年以上前から変わっていない。

利益の分配と労働者の反発

純然たる資本主義国で、利益の分配を考えよう。分配というよりは、資本家による、商品2千万円分の売上金の使い道の決定というべきものである。労働者には4万円×200人＝800万円が賃金として支払われ、残りの1千200万円は資本家が自由にできることになる。

ただ、これは商品が完売されたときの計算であるから、もし、資本家が現金として貯蓄をしようと思ってもそれは不可能である。労働者が賃金をすべて使って消費財の商品を購入したとしても、800万円分の商品しか購入できず、資本家が1千200万円すべてを消費財購入に充てなければ消費財商品には売れ残りが出るからである。資本家が、1千200万円分をすべて個人消費に充てたときに初めて、生産した商品がすべて売り切れ、生産と消費のサイクルが完結する。このようにして、定常的に経済活動が続けられることになる（単純再生産）。現実の社会では、単純再生産で終わることはない。後で述べることにする。

資本家は、この1千200万円の利益でどんな贅沢な生活をしても、誰からも咎められない。衣食住のみならず、文化芸術から道楽に至るまで贅沢三昧を抑制するのは、利益の限界と競争相手の資本家の存在だけである。この国で行われている程度の搾取（労働者の生活費の150倍の贅沢）は、現実社会の搾取よりかなり低く見積もられた設定である。現代社会では一握りの大富豪と庶民の経済格差はこの国よりもっともっと大きくなっている。例えば2017年のデータによれば、アメリカでは、トップ3人の資産の合計は国民50%の資産の合計を超えている。また、世界の大富豪トップ26人の資産が全人類の下位38億人の資産の合計を超えている（2019年国際NGOオックスファムレポートより）。

この国で、安定した経済活動は困難である。理由は二つある。

第一の理由は、不平等を受け入れない人間の本能的感性によるものである。過酷な労働を強いられている労働者が最低限の生活を維持しているのに対して、資本家は生産手段の所有者であるという理由から、贅沢三昧、娯楽や芸術三昧の生活をしている。資本家も労働者も、同じ人間として尊厳を持った存在であるならば、不平等に疑問と不満を抱き、制度の変革を望む自然な感情が起きるのを抑えることはできない。合法的であることは、合理的であるとは限らない。歴史的に見ても、資本家の権利を定めた法を不合理であると感じた労働者たちは、反乱という〝不法行為〟を繰り返した。どの国でも労働組合活動は、最初は犯罪行為として取り締まれていた。法で不合理を固定するのではなく、法を合理的なものに変えなければ社会の安定はない。

搾取の問題は、「生産手段を所有していることが、その生産手段を用いて作られた労働生産物の所有権の根拠となり得るのか」という大問題を提起している。商品の価値を創出するのは労働であるという『資本論』の立場からは、「生産物の価値の所有権はそれを生み出した労働者にある」という結論が導かれる。そこから「搾取の廃止」、つまり「働いた者が働きに応じて報酬を得る」という原則的主張が生まれる。これこそが社会主義の〝唯一の経済原則〟である。

しかし、マルクスは、社会主義に「搾取の廃止」以上の経済原則を付け加え、「生産手段の社会化（個人所有の廃止）」を、社会主義思想の根幹に据えた。マルクスらしからぬ論理の飛躍である。そして、ソビエト連邦をはじめ「20世紀社会主義」では、その根幹的思想を一律的強権的に制度化した。結果、搾取を廃止することはできなかったのは歴史の事実である。

私は、「生産手段の個人所有廃止」は原則にする必要はなく、搾取の廃止のみを原則とするべきであると考えている。生産手段の個人所有を廃止しても搾取はなくならないことが歴史で証明され、また、個人所有を廃止しなくても、民主的な企業経営で搾取を撤廃できる道はあると考えるからである。

生産性向上と実質賃金の低下

この資本主義国で、安定的な経済活動が不可能である第二の理由は、発展の先にどのような問題が生じるかという点にある。

現実の資本主義社会では、恐慌が繰り返し起きてきた歴史がある。恐慌は、背景にある不況に様々な要因が重なって起きる複合現象である。資本論は、搾取が必然的に不況を引き起こすことを解明した。私は、それが資本論の最大の功績であると考えている。搾取がどのように不況につながるのか、具体的に見てみよう。

資本家は、利潤獲得競争に明け暮れることとなるが、勝負を分けるのは、生産性向上である。より効率的な生産設備を他に先駆けて手に入れた資本家、また、新製品の需要を掘り起こしてその分野の市場を占有した資本家が、他の資本家より特段に大きい利潤を手に入れることができる。生産性の向上によって、低コストで生産した商品を通常の市場価格で販売することでより大きい利益を上げることも可能であるし、競争相手の資本家が達成できないような低価格で販売したり、画期的な新商品を開発したりすることで、市場を独占することもできるからである。このような、利益獲得競争、市場占有競争に負け続けるならば、資本家の立場から転落しなければならなくなるから、生産性の向上、技術の研究開発、新製品の需要掘り起こしなどに可能な限り利益をつぎ込むことになる。

生産性向上に成功した資本家の優位さは一時的なもので、競争相手も同程度の生産性向上を達成すれば、通常の平均的な利益に戻る。そして、そのときには商品の価格は、以前よりも低い価格で落ち着いていることになる。ただ、資本家としては個々の商品の価格低下は本来の目標ではなく、競争相手に勝利するためにだけそれを目指している。いずれにしても、この熾烈な競争から、より良い品がより安くより大量に社会に出回り、また、利便性の高い新製品が登場することになる。

現代の日本では、例えば、トヨタ自動車一社の研究開発費（２０１８年で約1兆８００億円）が、すべての大学や公的研究機関に提供される国の科学研究費の約5倍である。もちろんトヨタという企業は一人の資本家の所有物ではない点に注意しなければならないし、また、たとえ利潤追求のためのものであっても、技術開発研究の成果は人類にとって貴重な財産になり得るので、企業の研究開発の意義を否定するものではない。ただ、自動車分野の一つの企業の研究費が、国のあらゆる分野の研究予算の合計よりもはるかに多いというのは、資本家が生産性の向上に企業の命運をかけていることの一例である。

ノーベル賞発表シーズンには、いつも受賞者の有無で騒がしくなる我が国であるが、商品開発に直結した研究に比べて学問的基礎研究の費用の低さに驚くべきなのであろう。このように、資本主義社会は、生産性向上の動機を社会内部に持っていて、不断に発展のアクセルをふかし続けている。

資本家は、生産性向上の課題を最優先課題とし、自分の個人消費の額を減らしてでもその課題に取り組むこととなる。例えば、この国でAさんBさんが個人消費を半分に減らして、それまでの個人消費分1千200万円のうち600万円を生産性向上のために使うとしよう（それでも労働者の75倍）。すると、消費財の生産が2千万円から1千400万円に減少せざるを得なくなる。それ以上の消費財を生産しても、売れ残るからである（労働者800万円、資本家600万円が個人消費の限界）。

このようにして、生産財の生産費（生産設備の更新・拡大・改良、技術の開発研究など）が1千万円から1千600万円に増加する。ここでは、生産された生産財1千600万円はすべてが消費財に移されていないことに注意したい。新たに生産した生産財がすぐには減価償却されないからである。特に研究費や開発費が消費財の生産に活かされるのは時間がかかる。また、研究開発に関しては、多額の研究開発費がその何倍もの利益につながる場合もあれば、一定期間だけで見ると1円の利益にもならないこともあるからである。

労働条件が同じであるとすれば、この期間に労働者が創出した商品の価値は2千万円のままである。したがって、生産された生産財1千600万円分のうち1千万円分が消費財に移されたことになる（生産財1千600万円＋消費財1千400万円＝3千万円であるが総創出量は2千万円であるから、1千万円分の生産財の価値が消費財に移されている）。このとき、生産財の600万円分（1千600万円－1千万円）は、生産設備の未償却分、施設の拡大分、技術や研究成果の蓄積分などという形で、資本として貯め込まれることになる。

資本家にしてみれば、研究開発や商品開発に大きな資金を投じるのは、勝ち残るために必要ではあるが多大なリスクを伴う。勝ち残る資本家は、まず個人消費での贅沢を抑えて商品開発や生産設備の研究に費用を惜しげもなく使い、次の点が特に大事なのであるが、資金をつぎ込めば生産性向上に大きな成果が上がりそうな分野を他に先駆けて見つけ、また誰もが考えないような利便性の高い商品を作り出し、大胆に投資し、その分野での開拓者となる資本家である。成功者の〝先見の明〟が讃えられるのは、そのようなときである。もちろん、先を見誤って、生産財に投入した資金を良く売れる商品の生産につなげることができなかった資本家は、資本家という立場から追い落とされることにもなる。

このような資本家の志向によって、商品生産のあらゆる分野で生産性の向上が達成され、また新しい商品の分野が開拓される。より良い品物がより安く手に入るようになり、より利便性の高い製品が発明される。202名の国民にとって、生活費は同じ額でも、前より豊かな物資を手に入れることができるようになる。労働条件は相変わらず厳しくて搾取は続いていても、物資が豊かになり便利になれば、労働者は世の中の変化を好ましく受け入れることもできる。

実際、現代の庶民は、江戸時代の将軍様より美味しいものを食べ、多様な娯楽に触れ、便利な暮らしをしている。そして「搾取から解き放たれる」という労働者の願いは、「資本主義によって庶民の生活は豊かになる」という資本主義礼賛者の声にかき消され、「豊かな生活のために過酷な労働条件を我慢しよう」と、〝企業戦士〟が経済成長を支え、社会を支え、企業を支え、家族を支える英雄となる。

資本家の利益を代表する政治家が掲げた〝所得倍増〟というスローガンは、本当は〝物資倍増〟と呼ばれるべきものであった。多くの国民にとって、消費する物資の量は増えても所得（実質賃金）は増えていないことを見抜くことは難しい。生産性向上による物質的豊かさの実感に惑わされるからである。

それに加えて、インフレーション政策による貨幣価値の低下にも惑わされるからでもある。金融政策などの国家機能を活用した政策については、この純然たる資本主義国の議論では扱わないが、貨幣価値を気付かれないように下げるというやり方は、資本主義国では日常的継続的にやられてきた。

例えば、日本では、１９７０年から１９８０年の10年間のインフレ率はおよそ２７０％である。つまり、１９７０年の10万円と１９８０年の27万円の貨幣価値がほぼ同じであり、月給が10万円から27万円に上がったとして喜ぶことはできなかったのであり、10万円から20万円になったのでは、本来は賃金下落として悲しむべきことであったのである。１９６０年代は高度成長期と呼ばれ、もっと高いインフレ率時代であった。このように、インフレ政策と生産性の向上によって、搾取に対する不満が激化しないようにカムフラージュされてきた。

生産性の向上が続くとどのようになるのか、考えてみよう。商品の品質は上がり価格も安くなると、労働者の生活費は４万円もかからなくなる。労働者の抵抗がなければ、あるいは抵抗を抑え込めれば、同じように働かせたとしても賃金を安くすることができる。現実社会では、賃金が下がることはあり得ない設定のように思われるかもしれないが、そうではない。日本では、１９９７年の実質賃金を１００とした場合、２０１５年では88・７であるとされている（不正処理で信頼が揺らいだ国の毎月勤労統計調査の結果ではあるが）。現在の実質賃金は、20年前の９割以下にまで下げられている。

純粋な資本主義国の議論では、インフレ政策を考慮していないので、労働者の賃金は、カムフラージュなしの数値で下げられることになる。4万円から3万円に下げられたとしよう。労働条件（時間）が変わっていないとすれば、労働者が創出する労働生産物は2千万円のままである。800万円の賃金で2千万円分生産させていたのが、600万円（3万円×200人）の賃金で同じだけ生産させることになるので、搾取が強められたということになる。資本家にしてみれば、このときに賃金を少し上げる選択肢もあり得る。実際、現実の社会では、資本家は競争相手に負けないように、より有能な働き手を確保する手段として、また、労働者全体を敵に回さないように、労働者の賃金に差を付けて、労働者の一部を優遇し味方に付けるようなことをしている。また、労働者の組織的闘いをなだめるために少しだけ賃金を上げることもある。ここでは、そのような議論は省略する。

資本家は賃金の節約分200万円（800万円－600万円）をどう使うだろうか。個人的な贅沢も少しは増やすだろう。美術品などのコレクションにお金を使うことや、利益の一部を公共的な寄付に回すというような選択肢もあるだろう。実際、少なからぬ成功した資本家はそのようにして名声を高め、後の事業展開に生かしている。もちろん、そのような余裕があれば、本来は、労働者全体に対して働きに見合う賃金を支払うべきなのであるが、搾取をやめるということは資本家でなくなるということであり、そのようなことはしない。結局は、利益の大半を、より高品質な商品の効率的生産のために研究開発・生産設備の拡大更新、新製品の開発による需要の掘り起こしなどに使う。そして、さらに生産性が向上することになる。

不況の必然性と恐慌・戦争のリスク

以上が資本主義的生産様式の発展のアウトラインであり、私たちが目の前で見た、〝社会の進歩〟と讃えられた時代の流れは、このようなものであった。ただ、以上述べたことですべてが終わるならば、資本主義社会は資本家と労働者の不平等の問題以外は何の矛盾もなく、労働者は資本家に搾取され続けている状態のままではあるが、労働者の生活も豊かになることを目指した社会のように思えるかもしれない。

しかし、残念ながら、現実の歴史はそんなにバラ色ではなかった。経済恐慌という大事件が繰り返されてきたという事実が、資本主義社会に重くのしかかっている。１８２５年に最初の恐慌が起こり、およそ10年周期で繰り返されている。そのことから起きる民衆の怒りや社会不安がファシズムの温床となった。特に１９２９年に始まった恐慌の影響は大きく、第二次世界大戦という人類史上最大の惨事にもつながった。

恐慌という大混乱が繰り返されたとすれば、そこには必然的な理由があるはずである。マルクスの経済学研究の最終目標は、経済恐慌のメカニズムを解明することであったと言われている。病気による早すぎる死によって、研究成果の発表は『資本論』第一部の発行で止まってしまった。最良の理解者であるエンゲルスによって、マルクスの残した原稿を基に第二部、第三部が編集出版された。そこから私たちは、マルクスが恐慌についてどのように考えていたのか、その輪郭を読み取ることができる。

恐慌の前提は不況である。必然的な不況に様々な他の要因が重なり、恐慌が起きる。売れることを見込んで生産した商品が実際に売れるかどうかわからないという生産と消費の乖離、銀行が介在することによる信用取引から生じる連鎖倒産の問題、株式市場など実体のない取引で繰り返される価格の膨張と急落、国家の金融・財政政策の失敗などが重なって恐慌が起きる。銀行、株、金融・財政政策などの問題は、この国の議論では扱ってこなかった。ただ、不況の問題の核心部分は、国家の機能を考慮しなかった純粋な資本主義国の話の中ですでに議論済みである。整理すると次のようになる。

資本家は、賃金として生活費を労働者に支払い、賃金以上の価値の商品を生産させ、利潤を得る（搾取）。搾取によって得られた利潤は、さらなる生産性の向上のために使われ、生産財の部分が増大する（資本の拡大）。そして、より良い商品がより安く大量に生産されるようになり、労働者の生活費が安くなることにつながるので実質賃金を下げることになるが、それは消費財の購買力が低下することでもある。消費財の生産能力の増大にともなって消費財の購買力も増大するのであれば経済活動は順調に行われるが、生産能力が増える反面で消費力が低下するのであれば商品には常に過剰生産の心配がつきまとう。資本家は新たな生産分野に投資することをためらい、経済活動が停滞する（不況）。このように搾取が必然的に不況を生むのである。

不況を〝解消〟する最も野蛮な方法が戦争である。多くの恐慌・不況が戦争と関連している。労働者を搾取して利潤を得、有り余る利潤で生産を拡大し、過剰生産状態になれば、労働者を戦争に動員し、殺し合いと破壊という社会全体の〝究極の無駄遣い〟に駆り立てる。その結果、物資も何もない廃墟が生み出され、社会全体が供給不足状態になり、不況が〝解消〟される。なんという〝解消法〟だろうか。そしてまた復興のために労働者を酷使して、大量の商品生産による利益拡大に血道を上げる。そして利益が蓄積されれば、また同じことを繰り返す。人間の犯した罪でこれ以上のものを挙げることができないほどの大きな罪である。１９２９年に始まった恐慌は、最終的には第二次世界大戦で〝解消〟されたと言われている。また、１９４８年に始まる不況は１９５０年の朝鮮戦争によって〝解消〟されたと言われている。もちろん〝死の商人（武器商人）〟以外のほとんどの資本家は戦争を望んでいたのではないだろう。しかし、搾取を続ける限り市場や資源を奪い合い、また過剰生産を解消するために、このようなことは繰り返されるのである。

「架空の資本主義国」の後日談
不況をごまかすインフレ政策　今の１００万円は半世紀前の27万円

架空の資本主義国の話を参考に、目の前の日本を見てみよう。

街には商品があふれ、どんどん品質が良くなり、価格も安くなる。相対的貧困者が増える一方で、多くの利潤を手にした搾取者は有り余るお金の使い方に困っている。商品開発で適当な投資先を見つけられない搾取者は、株の売買などの投機に資金を使う。株価は実体経済を反映しないものになり、モラルに反した投機が引き起こしたマネーゲームは社会を不安定にする。政権を担当する政治家は「景気は良くなっている」と宣伝しているが、それは史上空前の規模で利益を上げている大企業の話であり、国民生活の話ではない。労働者の実質賃金はずっと下がり続けており、最近20年間で約12％減となっている。生活保護世帯数は25年間連続で増え続け、過去最高を記録している（２０１７年度）。国民生活は不景気のままである。

企業献金を主たる活動資金としている政治家たちが内閣を組織すれば、言わば「資本家に雇われた政府」ができる。この政府の様々な優遇政策によって、大企業の利益がさらに増え、内部留保が史上最大の規模に貯まっている。貯まれば貯まるほど不況が深刻になるのは、今までの議論から明らかである。大企業に利潤が貯まるということは、勤労者国民の取り分が減ることであり、それは国民の購買力が減少することである。しかし「雇われ政府」の役目は「不況の本質的原因を取り除くことなく、不況でないように見せる」ことである。ストレートな表現をすれば、「ごまかすのが役割」である。特に誠実さに乏しい首相が、憲政史上最長の在任記録を打ち立てたのは、理由のないことではない。

政府が不況緩和策・カムフラージュのために取り続けているのは、貯まった資金を投資に向けさせるための金利引き下げ政策、さらに国家予算で故意に大幅赤字を作り出すことと紙幣の増刷を組み合わせた、インフレを目指す「異次元の金融緩和」と言われる政策である。金利政策も紙幣の増刷も、日本銀行が主導する政策である。かつては、内閣とは一定の距離を置き、独自の判断から、特に紙幣の増刷には慎重な姿勢を守ってきた日本銀行も、今やすっかりと内閣と一体となり、日銀総裁は自ら先頭に立ち「異次元の金融緩和」を叫び、また、実体からかけ離れた株価が下がらないように、買い支えのため多額の資金を投入している状態である。

財源がないにもかかわらず、国家予算は膨張を止めることができず、7年連続で最高額を更新し続けている。なぜ赤字予算を組むのか。それは、伸びない消費を無理やり国家の支出（消費）で増やし、不況を緩和する・カムフラージュする政策であるからである。しかし、ないお金を使うのだから、必ずそのツケは付いて回る。今、赤字の累積が国家予算の約10年分（約1千兆円）になるという形で貯まっている。赤字の累積だけが静かに進行しているが、経済活動に活気はよみがえっていない。にもかかわらず、毎年の予算はさらに赤字を増やすように組まれている。他に打つ手がないからである。

そして、今注意すべきことは、MMT理論（現代貨幣理論）なるものがことさらに持ち出され、赤字の累積を容認するための理論的粉飾に利用する動きがあることである。現政権に批判的な人々からもそれが出されていることが、私には驚きである。MMT理論は、荒っぽい言い方をすれば、「国が貨幣を発行するのだから、国はどんな支出に対しても支払うことが可能である」「国は支払いに困れば1万円札をどんどん増刷すればよい」という〝理論〟である。したがって、予算は税収に縛られる必要はないということになる。インフレ（貨幣価値の低下）を適当に管理し、急激なハイパーインフレさえ起きないように配慮すれば、むしろ赤字予算を組んで経済を活性化するべき（消費を増やす）であるという政策的主張と結び付く。

本当にこんなことが可能であるならば、すべての政策に財政的な裏付けは不要となる。災害で苦しい生活を強いられている人々への支援策が財政的な困難から進んでいない現状も、社会保障の不備から生活苦の国民が増えている現実も、年金問題で国民の中で起きている不安も、このMMT理論ですべて「解決」である。財源は1万円札の印刷機の費用だけでよいことになる。そのような国民のための支出にはMMT理論は使われないという点を見ても、この理論のいかがわしさをうかがい知れる。

ＭＭＴ理論の考え方は、何も目新しいものではない。少なくともここ数十年間、日本の政府によって進められてきた政策は、多かれ少なかれＭＭＴ的であった。現財務大臣（麻生太郎氏）は「いくら赤字国債を発行しても国は潰れない」と、ＭＭＴ理論と同じような主張を放言していたのは有名である。安倍内閣の経済政策〝アベノミクス〟の基本的な考え方はＭＭＴそのものである。異次元の金融緩和、膨張する赤字予算、意図的なインフレ政策、これらはＭＭＴに通じるものである。ハイパーインフレという経済の大混乱が起きなければよいという評価基準の甘さは論外であるが、インフレが国民生活を苦しめないという保証はどこにもない。確かなことは、１万円札を増刷し、それが市中に拡散されれば貨幣価値は下がり続けるということだけである。

そもそも、２％であれインフレを目標にすること自体が、資本主義の矛盾が処理されずにいることを表している。マスコミも経済評論家も、その多数が「２％のインフレ目標」が達成されていないことに批判の矛先を向けているが、なぜ「２％のインフレ目標」が妥当なのか、それを問題にする人は少ない。もちろん、経済が順調な局面で、国民が豊かになり需要が増え、供給（生産）を促す意味で物価が上昇し、一時的に軽度のインフレが起きることはある。各国の実例から、２～３％程度のインフレが起きているときに順調な経済状態になっているという研究報告もあることは確かである。ただしその場合でも、インフレそれ自身が好ましいということではなく、需要の自然増加が前提となっているのである。歴代の政権が採ってきたような、落ち込んでいる需要を支えるために無理やり組んだ赤字予算を執行するため、株価の下落を食い止めるための膨大な資金を投入するため、国債を発行し、紙幣を増刷して生じる政策インフレは、不況をカムフラージュする手段でしかなく、大きな害悪である。

確かなことは、2%のインフレで、100万円の価値はおよそ98万円（98・04万円）に低下という事実である。国民（労働者）の生活費には幅があるので、生活の質が100万円から98万円に値切られても、国民が敏感に反応しないと思われているのである。政府の不況対策として、国民の資産100万円のうちおよそ2万円が知らないうちに勝手に徴収されているのと同じことである。このようなことがなぜ目標とされなければならないのか。目の前で2万円盗まれて怒らない人はいないが、政府が「2%のインフレ目標」と言えば、誰も怒らないどころか、その達成を促すのである。生産量と消費量のバランスが良くて経済が順調に回っているならば、インフレそのものを目標として、無理な政策で国の累積赤字を増やす必要はない。インフレ目標自体に批判を向けないのは、不況という資本主義の本質的矛盾に気が付いていないか、知っていてもごまかしているか、どちらかである。

MMT論者の中でも、赤字予算の使い道は論者によって異なっていて、一通りの批判では済まないが、インフレそのものを目的とする政策は、肯定できるものではない。一時的に、赤字予算を組まなければならない緊急な事態があるとしても、そのときは「インフレを伴うので、すべての国民から〝一律に公平に〟お金を徴収するのと同じことをやらせてもらいます」と断りを入れなければならないのである。

私が入手できた資料（財務省による）を基に計算したところ、１９６７年から２０１４年の間のインフレ率はおよそ３７０％である。およそ半世紀（47年）の間に、貨幣価値は大きく下がり、半世紀前の１００万円と今の３７０万円の価値がほぼ等しいということになり、逆に今の１００万円の値打ちは半世紀前の27万円程度でしかない。そして、悲しいことに、多くの国民は貨幣価値が下がるのを、自然で当たり前のことであると受け止めている。資本主義の本質的矛盾である不況をカムフラージュするため、インフレ政策によって人為的に貨幣価値が下げられ、庶民の資産が知らない間に減らされているのは、当たり前で自然なことではない。

おわりに

暴力でも、権力でも、財力でもなく、鉛筆で社会が変えられる
こんなにひどい日本の政治、変えられないのはなぜ

私たちの社会の在り様は常に変化し続けてきたし、これからも変化し続けるだろう。歴史を見れば、戦争や暴力的な手段によらないで社会の根本的変革を達成した事例の少なさに、改めて気付かされる。

非暴力社会変革運動でまず思い浮かぶのは、「非暴力不服従」を掲げたガンジーによるインドの独立運動、キング牧師によるアメリカの人種差別解消の公民権運動である。これらの運動が、極めて稀な優れた指導者の下で一定の成功を収めたこと自体、時代的背景を考えれば奇跡的なことであった。残念ながら、非暴力で独立を達成したインドは、独立後の指導者は非暴力の立場を維持することができず暴力を行使する側に立ち、また、一定の前進が見られたアメリカの人種差別反対の運動も、単純には解決に向かわず、紆余曲折を経て現在に至っている。そして、何より悲しいことに、非暴力を掲げたガンジーもキング牧師も〝凶弾〟という暴力の犠牲者となってしまった。

世界大戦という最大の暴力を二度も経験した人類は、二度目の大戦が完全に終結していない時期から早々と、戦争終結後の主導権争いのために軍事力拡大競争を始め、核兵器開発競争の泥沼に入り、また、地域的な戦争を幾度となく繰り返している。日本は侵略戦争によって他国に莫大な損害を与え、自国民にも莫大な犠牲を強い、その反省から、戦争しないことと戦力を持たないことを憲法で宣言した。しかし、その宣言の数年後にはアメリカの世界戦略に翻弄され、憲法の条文は変えずに条文を蹂躙するという醜い方向に政策転換した。

「日本の起こした戦争は侵略ではなかった」という歴史を歪める見解が頭をもたげ、それに後押しされた歴代政府はますます露骨に憲法蹂躙を重ね、今や世界6位（2019年）の戦力になるまでに「自衛隊」を育て、さらに自国防衛のためという制限も取り払い、「日本を守ってくれるアメリカ軍のためにも自衛隊は戦う（集団的自衛権容認）」ことを可能とする法律を作り（2015年）、アメリカのほぼ言いなりになる形で世界の争いの中に身を投じようとしている。

これらの出来事は、人類が暴力を使わないで物事を処理していくということの難しさを示している。少なからぬ〝論者〟は、物知り顔で「武器を持たずに平和を望むのは、空想的な理想にすぎない」と悟ったような議論をする。そんな議論で終わりにするならば、人類は野蛮な暴力支配から抜け出す進歩を放棄したことになる。何事も最後は暴力で決着を付けるのならば、社会の在り方や歴史に関するすべての議論は無意味なものとなる。私は、それでよいとは思わないし、また、圧倒的多数の人も、すべて暴力で決まるような社会、国際社会を望んではいないと思っているから、この本を出版している。

暴力によらない処理方法があるのか否か、それは判断に悩むことではない。可能か不可能か、どちらが正解なのか予想する問題ではなく、可能にする方法を創出すべき問題である。民主主義の成熟こそ鍵である。

社会を作り、集団の力で生きる道を選んだ人間にとって、集団内の人間同士の約束が「法」である。ルソーは「法に従う人民が法を決める」という人民主権論を唱えたが、社会の構成員すべてが平等で尊重される存在であるという前提に立てば、この提唱は必然的で合理的な結論である。しかし、現在の日本では、国民が自ら法を決めるのではなく、選挙で議員を選び、選んだ議員に立法行為を任せている。〝選挙〟という言葉が民主主義の代名詞にもなってしまっている一方で、選挙では国民の意思を反映することができないという側面が、近年ますます顕著になってきている。

民主主義の成熟のためには国民投票制度の導入が必要である。国民が発議した提案に国民が投票して国の在り方を決める国民投票は、現在、それ以上は望むべくもない民主主義制度である。すべての法案をそのように決めるのは無理があるとしても、国民的関心の高い限られた法案について採用するのならば、非現実的なものではなく、実際に多くの国々で採用されている。スイスでは、10万人以上の署名を集めれば、国民投票を発議することができ、毎年、数回行われている。

この制度の何より大きい意義は、現実的で着実な社会変革の手段を国民が手に入れることである。社会の仕組みを、投票という平和的な手段で作り替えていくことが可能となる。この手段では、暴力という人類の歴史を汚し続けてきた最悪の行為を排除しやすくなる。

もちろん、この制度だけで民主主義の問題が解決されるというのは楽天的すぎではある。巨大な財力を用いた情報戦によって、世論が歪められるという問題は常に付きまとうだろう。しかし、そのような問題があれば、その解決のため、国民投票で適切な法整備をすることが可能である。

革命と呼ばれた社会変革が歴史上繰り返された。社会の仕組みを根幹から破壊し、一気に作り直すというやり方から、ほとんどが大きな混乱や暴力を伴い、弾圧の応酬の末、結局は暴力で決着が付けられる場合が多かった。暴力で決着した変革は、維持するためにも暴力が使われ、変革後に出来上がった社会も暴力と縁を切ることができなかった。「出来上がった社会は、その作り方によって決まる」というのは、実証された真実である。民主的な社会は民主的な手段でしか生まれない。

また、現代の社会の仕組みはかつてなく複雑になっており、未来に引き継ぐべき制度、廃止すべき制度が複雑に混ざり合い、社会の仕組みを破壊し一気に作り直すなどということが、ますます難しくなっている。繰り返し強調しているように、現在の日本は基本的には資本主義社会ではあっても、資本主義に対抗する考え方による制度が多く混在している。また、生産手段を持っている搾取者（資本家）と何も持たない被搾取者（労働者）という、二つの階級だけで社会構成をとらえることはできなくなっている。

ただ搾取社会であることは確かであり、搾取者のところには被搾取者からの富が集積され、経済格差が大きくなっている現実がある。搾取の構造は多重的で複雑なものとなっている。雇い主だけが搾取者であるとは限らないし、雇い主が搾取者であるとも限らないし、搾取者が国内にいるとも限らない。大企業が中小企業から搾取し、また大企業といえどもその上の超大企業に搾取されるというようなことが起きている。発展途上国は先進国から搾取されている。

頂上の搾取者は、「世界の長者番付」などを見てわかるように、グローバル企業・多国籍巨大企業から利益を得ている人々である。世界中に居場所を持ち、世界中から富をかき集め、世界中に富を分散させて蓄えている。社会変革は、かつての時代のように、一つの国内で、特定の人物、特定の階級、特定の層の人々を打倒することで達成できるようなものではなくなっている。私たちがすべきこと、すればよいことは、搾取を許さない法的仕組み、つまり、「働きに応じた報酬」が保障される制度を作ることである。

国民投票制度は、そのことを可能にしてくれる。最低賃金を引き上げ、また、税制度を改善し、税の使い道の透明度を上げ、さらに、既に多くの先進国で行われているように教育や医療などを無料にするなど公共サービスを充実させることで、格差は大きく解消することができる。また、取り返しのつかない大事故につながる原子力発電も廃止させることができる。政治の分野では、一番の問題である、「合法的賄賂」と言うべき企業団体献金の野放し状態を変えることができる。

これらのことは、非現実的な理想論ではない。実際に、少なからぬ国では国民投票が機能し、法整備が行われ、より暮らしやすい社会のため貢献している。議員に任せる以外に社会改革の手段を持たない日本は、社会保障、労働条件、教育、医療制度、男女差別解消、民主主義など国民生活に関わる多くの分野で、国際水準から大幅に遅れた状態になっている。ここ数十年の間、これらの分野で国際的に取り残されている原因は、選挙で選んだ議員に変革を任せる以外に、社会変革の手段を持たないからである。

もちろん、国民投票の制度も、形だけ整えればよいというものではない。独裁者がその支配をより完全なものにする目的で、「国民投票の体裁」を利用することがある。ナチ党ヒトラーが仕掛けた数々の国民投票は最も醜悪な例であり、チリの軍事独裁政権ピノチェト大統領が仕掛けた3回の国民投票も、基本的にはヒトラーのやり方と同じである。

ヒトラーは徹底した粛清と弾圧で、既成事実に反対できない状況を作り、それを承認させるような投票を実施した。もちろん、徹底した監視体制によって、反対票はもちろん棄権することさえ許されない状態ができていたので、投票と言えるものではなかった。ヒトラーは入念にも、国民投票と選挙を同時に行ってもいた。もちろん選挙と言えるものではなく、結果も当選者はナチ党一色であった。

ピノチェトは、特に3回目の国民投票においては、ヒトラーほど徹底したやり方はできなかった。長い間、非常事態宣言の下で言論と報道が完全な統制状態にあったが、3回目の国民投票においては、非常事態宣言は解除されていた。とはいえ、秘密警察の暗躍があり、メディアの掌握においても不公正な投票であった。そんな中での投票であったが、「我々は、(独裁者を)鉛筆で追い出した!」と10万人の歓喜の声が上がる結果となり、翌年(1989年)の新憲法制定国民投票(圧倒的多数で承認)につながった(『国民投票の総て』には詳しくまとめられている)。鉛筆で独裁者を追放した素晴らしい歴史の1ページであり、国民投票の可能性を示すものである。

これらの事例から明らかなように、言論と報道の自由がすべての人に公平な形で保証されることが、国民投票にとって何よりも大切な前提条件である。

我が国においては、憲政史上最長の在任記録を作った政権の下で、政権への忖度を強いる働きかけが特に強められた。官僚は人事権を内閣に完全掌握され、公共放送NHKにおいては、「政府が右というものは右」と会長があからさまに政権の意向に従うことを表明したり、首相とつながりがあるような解説委員が内閣の広告塔の役割を果たしたり、政権にとって不都合な記者は希望する仕事からはずされ、ＮＨＫを去っていくというようなことが起きたり、戦前の国営放送に逆戻りするような出来事が頻繁に起きている。

民放も同じで、首相官邸は、大手広告会社を通してメディアをコントロールしようとしている。政権に批判的な、評論家や学者、コメンテイター、文化人がメディアの画面から消え、政権に媚びる人物が、出番が増やされる。「安倍首相と桜を見る会事件」（２０１９年）はそのような現状を象徴した出来事である。首相に招待され、記念写真を撮り、それを自慢げにはしゃぐ有名人たちの恥ずべき姿は、現代のメディアの状態を象徴している。

そんな中でも政権への忖度なく、堂々と自分の意見を表明しながらメディア界で生き延びている人物は、ますます貴重な存在となっている。偏った情報の下で正しい判断ができる人はいない。言論の自由と公正な報道は、民主主義の大前提である。

現在の日本は、社会変革の手段が極めて乏しい状態である。たった一つの法律を変えるためにも、「国会で多数派を占め、与党となる」という大事業が必要とされる。これは、「クルミの殻を割って食べるために、重機を手に入れなければならない」というようなものである。クルミの殻を割るために、それよりもっと大きな仕事を済ませなければならないのである。

このような状況を克服するのが、国民投票である。国会内の力関係に任せず、国民的合意が得られるような問題については、どんどん制度改革が進むこととなる。あらゆる問題について、国民自らが発議し、国民投票によって制度改革を進めることができる。

注意してほしいのは、国民投票制度は、議院内閣制・代議制民主主義・選挙制度を破壊するものではなく、その不十分さを補い、その負の側面を改善するものである。与党がいい加減な法案を成立させれば、すぐさま廃止することもできるということを考えれば、議院内閣制をより引き締まった充実したものに高め、補強する制度でもある。

このような国民投票制度を、我々はどのようにして手に入れることができるだろう。このことが、最大の難題である。この制度ができた後は、新しい制度を生み出したりするのが容易であるが、この制度が誕生するためには、「議員任せの未成熟な民主主義」に頼らなければならないからである。

既存の秩序を破壊して作り直すことを革命とするならば、国民投票による社会変革は、既存の制度を破壊せずに作り替えることで行われる。革命は既存の法に縛られない変革であるが、国民投票はすでにある制度を尊重した形で行われる。日本国憲法の改定が、日本国憲法の条文に基づいて行われるのと同じである。

したがって、最終的には、国会議員の多数の支持を得なければ誕生することができない。困難は大きい。革命に匹敵するような変革を、平和的な、混乱を少なくした形で、弾圧や抑圧なしに可能とするような制度であるならば、それを手に入れることが簡単であるはずがない。ただ、その困難は、歴史上繰り返された革命の凄惨な弾圧の応酬などと比べれば、はるかに小さいのではないかと思われる。その意味でも、今考え得る、最も現実的な社会変革の方法である。

この困難は、克服のための様々な方法を創出することができる。例えば、国民投票の結果に法的な拘束力を持たそうとするならば国会の議決が必要であるが、単に国民の意思を確認するだけのものであり、より大規模で整備された世論調査のような「国民投票運動」であれば、国会の立法措置は必要でない。ただ、その投票結果は法的拘束力がなくても大きな力を発揮することができる。選挙に与える影響に敏感な議員にとっても、投票結果に無関心でいられるはずがないからである。国民的関心が高く、議論がある程度進んでいるようないくつかの重要問題で、法的裏付けがなくても、運動として国民投票を何回か繰り返せば、実施することで事態は大きく変わるだろう。そのような経験を通して、国民投票を根付かせ、最終的には法律的整備を目指せばよい。

全国各地で経験が蓄積されている住民投票は、国民投票の可能性と現実性を具体的に示している。法的裏付けはなくても住民投票が行われ、現実的にその結果が地方政治に生かされている実例が多く生まれている。住民投票で圧倒的な支持を集めた事柄に、正面から反対する地方議員候補者は、選挙でも不利になるのは明らかであるからである。このような実績の積み重ねで、より充実した住民投票制度の整備も可能である。国民投票も同じである。このような好循環が着実な社会変革の力となる。

主要メディアで繰り返される政治議論の中で、正直言って、辟易させられるものがある。政権与党が暴挙や失態を行ったりしたときに必ず出てくる議論であるが、「政権交代が可能な野党が不在であることを嘆く」と結論付ける議論である。ひどい場合は、「与党の横暴を許しているのは野党がだらしないからだ」と、批判の矛先を完全に間違えている論者も少なくはない。本当にそう思って発言しているのかもしれないが、権力者側のずるがしこい意図も見え隠れしている。与党が失態を犯しても、それにとって代わる野党も一緒に叩いておけば、選挙で野党だけが伸びることがないからである。権力者側からすれば、首相が誰になるかなどということはどうでもよいことで、自分たちの利益の代弁者である政党が与党としての地位を保てばよいのである。

残念ながら、少数乱立の野党は、自民党が数々の失態を犯して支持率を一時的に大きく下げたとしても、なお自民党の支持率には大きく及ばない状態にある。政治理念や政策で大きく異なる部分があるのであれば、それを無視して連合政権を組むのは、成就するにも維持するにも困難が伴う。多様な考え方が尊重されるべき現代にあっては、それはやむを得ないことであるかもしれない。

例えば、与党が不誠実な失態を犯し、何をおいてもまずそのことを追及しなければならないときに、「こんな与党は許されない。では誰に政権を任せるのか」と言うように、代わりの政権を心配することで、追及の世論が鈍ってしまう。また、目の前で悪法が通されようとしている緊急時でさえ、「この結果は選挙で国民の判断で決着を付けるべきである」と、目の前の悪法の問題が後日の選挙の話に流される。そして、数カ月以上を経て、いざ選挙になれば、また別の問題が争点となり、かつて決着を求められた問題はどこかに吹き飛んでいる。このように、具体的な問題の一つ一つが、それ自身の評価をされることなく、すべて選挙に流し込まれるのである。そして、財力に勝る候補者が当選すれば、「我々の主張や実績が認められた」とうそぶいて終わりとなる。そもそも選挙というものは、一つの政策的争点で行われるものでもなければ、そうすべきものでもないのである。

これらの議論と同じ本質を持つのが「受け皿待望論」「二大政党論」である。近年では、「希望の党」（2017年~2018年）が出たとき、多くのメディアは「自民党に代わる受け皿ができた」と大騒ぎした。これらの議論の共通点は、「受け皿」「政権交代可能な野党」「二大政党」という言葉の中に、「与党の考え方とは基本的に同じであるが、与党がやらかした露骨な失敗を少しだけ是正してくれるような政党」という意味を込めているところである。だから、もともと自民党内にいて、党内での軋轢から自民党を飛び出した人物が「第二自民党」を組織したような場合、「受け皿論」が花盛りとなるのである。

そして、この「受け皿論」の最も基本的な欠陥は、「政権交代しか変革の手段はない」という考え方の狭さである。本当は、変革の手段がないのではなくて、変革の手段を制度として整えてないだけの話である。諸外国のように、国民投票制度を作ればよいのである。

政権交代しなくても脱原発の政策を推進することは可能であり、また、政権交代しなくても消費税を下げることは可能である。政府が国民の判断に従って、判断を変えればよいのである。

一つの課題を解決するために、大げさにも政権選択をしなければならないとしたら、問題解決能力が極めて低い社会となってしまう。そして適当な「受け皿野党」が見つからないとき、ひどい内閣が変えられても、与党は居座り続ける。今の日本社会はまさにその通りになっている。また、「適当な受け皿政党」が出て、政権が変わったように見えても、前の与党と似たり寄ったりのことしかできない。「適当な受け皿」とは、そういう存在である。

国政上、何か重大問題が起き、国民全員がその問題の解決を望んでいたとしても、国民の反応はまちまちである。政権を変えなければその問題が解決できないと考える人もいれば、政権は今の与党のままでよいが問題は解決してほしいと考える人もいる。政権選択というのは、あらゆる政策や政党の理念まで含めて総合的な判断が求められる。目の前に起きている一つの問題を解決するより、政権を選ぶほうが大きな課題である。そして、目の前の課題を解決するために、その課題よりはるかに大きな課題で悩むことになる。そして、結局、目の前の課題が解決されないまま積み重なっていくのである。目の前のクルミを割って食べたいだけなのに、クルミも割れるが山も崩せる重機を探せと言われ、そんなたいそうなことならやめると、クルミを食べるのをあきらめる。日本人はそんなことを繰り返させられている。

国民の大多数は、当然、急激な社会変革による混乱は避けたいと考えている。しかし、問題点があれば、それが放置されることも望んではいない。また、わずか数百人の国会議員、しかもその大半は大企業からの政治献金で活動している国会議員によってすべてが決められることには大きな反発を抱いている。しかし誰に託したら問題が解決できるのか見つけられずにいる。そのような正解のない選択肢の前に国民を止めておくのが選挙という制度である。誰に託するかではなくて、どんな政策を政府に採らせるのかを問題としなければならない。国民投票という手段はそのための有力な制度である。

社会の矛盾の根本的解決を避けて、一つ一つの改善を積み重ねていくというようなやり方は、かつて「改良主義」と批判された歴史がある。私は、批判の対象となった考え方の陣営にいるという自覚はない。ただ、国民投票という手段が手に入れば、小刻みな改革が可能となり、大きな混乱を回避しやすくなり、権力闘争による弾圧の応酬というリスクも低くなることは確かである。そして、小刻みな試行錯誤の繰り返しで、より実情に合った合理的な制度を整えていくことが可能となる。そのようなことを積み重ね、時間をかけて社会は根本的に変わるのではないだろうか。

生物がＤＮＡレベルの小刻みな突然変異の積み重ねで大きな進化を成し遂げているのと

同じように、社会も法律の制定・改定の積み重ねで、大きな進歩を成し遂げられる。国民投票制度は、そのような社会変革に国民が直接的に関わることができるという意味では、社会の進歩にとって不可欠な制度である。

国民投票制度は代議制民主主義、議院内閣制と矛盾するものではなく、その弱点を補い、鍛えるものである。国民投票による変革の繰り返しの中で、政権担当者についても、国民はよりふさわしい政党や人物を選ぶ判断力を鍛えていくことであろう。国民投票を繰り返している国では、一般的に言って議員選挙でも関心が高くなっている。選挙にのみ頼っている日本で、政治への無関心・不信が大きく問題となっており、肝心の選挙の投票率の低さが問題となっているのと真逆である。

理想的な未来社会についての〝出来上がった青写真〟はどこにも存在しない。試行錯誤によって、より良い未来社会を築いていくしかない。「作り方によって、出来上がった社会は決められる」とすれば、「より民主的な方法でしか、より民主的な社会はできない」ことになる。社会の進歩が民主主義を成熟させ、成熟した民主主義で社会のさらなる進歩がもたらされる。こんな民主主義の好循環が国民投票で可能となる。

「**民主主義を育て、民主主義で育つ社会**」に続く道が、社会のすべての構成員の幸せにつながる道である。

最後の最後に、あえて蛇足を付け足すならば、私は、ぜひとも、喫緊の課題として何より「企業団体献金禁止」の実効性のある法律を、一番に国民投票にかけたいと望んでいる。

鉛筆で、革命に匹敵する改革を！

新型コロナウイルス流行が思い出させてくれたこと

２０１９年の年末から中国で始まったとされる新型コロナウイルスの流行は世界中に広がり、危機と混乱をもたらしている。もちろん日本でもたくさんの方がすでに犠牲となり、重症患者となり、生命の危険にさらされ、社会生活にも大きな影響が与えられている。本を出版するつもりで原稿を書き上げ、出版社との相談を開始しようとしていたとき（２０２０年3月下旬）ではあったが、コロナウイルスの流行は、いくつかの大切なことを思い出させてくれた。

私が特に取り上げたいのは、次の三点である。

一つは、人間と感染症の基本的な関係である。感染症の流行は、環境問題と同じ構造を持つ人間と自然の関係ととらえることができる。

第二点は、経済活動との関係である。コロナ恐慌の危険性や、実体経済とかけ離れた株価の問題である。

第三点は、主権国家としての安全保障に関することである。自国産業を大切にしない、自由貿易に頼るグローバリズムの脆弱性が、白日の下にさらされている。

当初の記述プランに追加して、コロナウイルス流行が私たちに警告していることを簡単にまとめておきたい。

感染症と人間社会

人間と感染症の関係を考えるにあたって、次の三つの歴史的事実が、重要な視点を与えてくれる。

14世紀に襲ったペストの大流行では、ヨーロッパの人口の約3分の1が死亡したとされている。ネズミが媒介していたという説が長い間信じられてきたが、現在、ノミやシラミが媒介していたという研究報告が出され議論を呼んでいる。いずれにしても、人類が密集した都市生活を営むようになったこと、森林を切り開いて環境を大きく変え、ネズミやノミ、シラミが増えやすくなったことなどが、大流行と関係していることが指摘されている。人間社会の有り様がペスト被害を大きくしたと評価できる。

カリブ海周辺の諸国では、現在、先住民族（カリブ人、アラワク人）はほとんど生き延びておらず、多くはアフリカ系住民である。コロンブスの新大陸発見（1492年）以後の大航海時代、この地域はスペイン、オランダ、イギリス、フランスなどヨーロッパ諸国の支配下に置かれ、先住民族は残虐な仕打ちを受け、過酷な労働を強いられていた。ヨーロッパ人が持ち込んだ感染症に対して免疫がなかったことと、過酷な労働で疲弊していたことが重なり、先住民はほとんど絶滅した。その後、サトウキビのプランテーションのための労働力として、先住民族の代わりにアフリカから黒人奴隷が連れて来られ、現在、その子孫が人口の多数を占めている。

大航海時代はグローバルな活動の始まりと言ってもよいのだろうが、グローバルな活動によって、そして人間社会の支配関係によって、感染症の怖さは被支配的民族の絶滅を起こすまでに増幅されるのである。

第一次世界大戦中の1918年から始まったスペイン風邪（インフルエンザ）では、およそ5億人が感染し、4千万〜1億人が死亡したとされている。戦争での死者数よりもはるかに大きな数である。この流行が軍隊（アメリカ軍）の兵士から始まり、機密事項として感染が隠されていたことや、戦争中で十分な治療ができなかったことが、犠牲が大きくなった原因である。戦争という、人間社会の最悪の状態の下で、感染症の脅威が最大限に増幅された事例の一つであろう。

環境問題は、人間界と人間以外の自然界の間の矛盾と人間社会内部の矛盾が重なった二重の矛盾であると述べた。コロナウイルスの流行による被害も、同様の二重の矛盾としてとらえることができる。細菌やウイルスなどの病原体と人類の戦い（矛盾）は、時代や社会の在り方によらず続いてきた。病原体は人間界の外にある自然そのものであるが、進化を続けながら人類の繁栄と矛盾する（対立する）存在であり続けてきた。

ただ、その脅威の大きさについては、その時代の人間社会の在り方によって、度合いが異なったものになっている。ここに上げた三つの事例は、人間社会の在り方によって脅威が増幅された例である。私たちが目指したい社会は、人間と自然の矛盾をより小さくする社会である。とすれば、コロナの流行を、より良い社会システムづくりの契機にすることもできるのである。

新型コロナウイルス恐慌の可能性

現代社会の経済活動が抱える矛盾が、新型ウイルス流行によって浮き彫りになってきている。

現代社会は、不況という慢性病を持っている。コロナの流行で社会生活縮小が余儀なくされ、したがって、消費力が大きく落ち込むと、この慢性病は症状がひどくなる。消費の低迷が企業倒産につながれば、その倒産は連鎖的に広がり、関連銀行の業績悪化につながる。業績悪化から預金者に不安を生じさせる銀行には、預金の引き出し要求が殺到する。そもそも銀行は、どの銀行であっても、すべての預金の引き出し要求には応えられるような経営をしていないから、そうなれば倒産するしかない。銀行の倒産が始まれば、さらに大規模な連鎖倒産に広がる。

株式は、企業の業績が順調であれば、所有者に配当金などの利益をもたらす存在である。そのような利益を生み出す魅力から、株式は商品として取引される。配当金は企業の業績で左右されるが、株式の価格は、あくまで株式市場価格であり、配当金の源泉だということだけで決まるわけではない。商品としての株式の最大の魅力は、買った価格よりも高い価格で売れるという可能性である。このようにして、株式は、実際の企業の資産価値とかけ離れた価格、つまり、多かれ少なかれ〝バブル価格〟となっている。

コロナの影響による企業の業績悪化から、株価が下がるのが自然であるにもかかわらず、単純にそうはならないことがある。経済活動が縮小されると、貯まっている豊富な資金の投資先を見つけられなくなるので、有り余る資金を株式購入に回すということが起こる。そして株式価格が引き上がることになる。このような不自然な現象は、結局は、株価と実体経済の乖離を広げることにしかならず、〝株価の虚構〟が壊れたときのリスクをひたすら大きくしている。

2020年の3月末の段階で、コロナ倒産が話題に出され始めた。慢性的な不況に様々な他の要因が加わり、企業倒産が連鎖し、株式価格の虚構が崩れるという形は、過去の恐慌と共通するものである。コロナウイルスの流行による経済活動の縮小は、恐慌の引き金になるのに十分な脅威である。恐慌となれば、隠れていたリスクが、一気に出てきてしまう。

このような状況の下、政府の対策としては、企業倒産と失業者を出さないことを最優先にすべきである。例えば、流行の初期対策では失敗したイギリスでは、経済活動の大幅な縮小を指示する一方で、コロナ対策で休業した企業が解雇者を出さない政策を迅速に展開した。例えば、雇用を維持する企業に対して給与の8割を国が負担するなど前例のない支援策をいち早く発表し、実行している。ドイツやデンマークなど多くのヨーロッパの国では、1件の倒産も生まないように、休業の指示と補償がセットとなり、当たり前のようにすべての業者に迅速に支給されている。さらに完璧なのはシンガポールである。政府はすべての企業活動を掌握しているので、コロナのために業績が落ちている企業には、申請がなくても自動的に補償が振り込まれている。

日本では、休業命令ではなくて自粛要請が政府から出されているが、強制力のない要請であることから、政府は今のところ休業補償をしないようである。もちろん休業のダメージが大きい業界からは、補償の要望が出されているが、「支援はするが補償はしない」と逃げている。支援策は手続きも煩雑で迅速さに欠けるので、致命的な欠点を持ったままである。

また、自治体から強制力のない自粛要請を出すことになっているが、要請を聞いてもらえないときは事業者名を公表し、それでも聞いてもらえない場合は次の手段を用意するなど、実質的には逆らえない要請になっている。自治体によって財政力が異なるので、支援策はまちまちである。支援策は自治体に任せるのではなく、国が中心となり行うべきである。ずっと何の補償も支援もないままで済むはずがないが、「強制力のない」というのは「補償のない」ということと同じ意味に使われている。

全国民に一定の現金（10万円）を給付する案が、与野党あげて好意的に議論されている。収入がなくなった人を一時的に援助するという意味では、給付が一定の役割を果たすことがあるのを否定するわけではないが、現金給付は政府が採用すべき政策としては、最も〝策に乏しい〟ものである。お金を配って終わりにするなら、初めから税金を徴収しないで何もしないのと大差はない。

感染状況をより詳しくつかみ、可能な限り経済活動を縮小しなくてもいいように活用するとか、企業の倒産を防ぎ失業者を出さないような、より有効な税金の活用法を考えるのが政府の役目である。休業によって収入がなくなってしまった人々が、廃業や倒産に追い込まれないように政策を練り、可能な限りの国家予算を、そのことに焦点を合わせて活用すべきである。例えば、誰でも、いつでも、無料でPCR検査ができる体制づくりに、1億2000万人分の10万円を使えば、はるかに大きな効果が生まれる。たった10万円ポッキリ、集めた税を返して終わりにするような無策ではなく、集めた税を有効に活用するという国の役割が試されているのである。

赤字予算を大胆に組んでも許されるのは、このようなときである。赤字予算の副作用は、インフレによる国民の資産の減少であるが、こんなときは国民全員が平等に痛みを分かち合う意味で、赤字となっても国は大胆な支出をすべきである。ただ、日本の場合は、日常的に赤字予算が組まれ、約1千兆円の国家財政の累積赤字がすでに溜まっている。不況をごまかすために小刻みに採り続けていた赤字政策があだとなり、副作用が深刻になれば、本当に必要とされるときに採用できないこともあり得る。

このような危惧が外れることを祈っている。

マスク一つで大混乱　国の安全保障は

コロナウイルスの流行は、自立した国の安全保障という大問題を思い出させてくれた。歴代の日本政府が、軍事費を増強するときは強調する国の安全保障について、必要な問題については何にも考えられていなかったことが明確になっている。

今、世界は、それぞれが主権を主張し合う独立国の集まりである。将来的には各国の結び付きがもっと強くなり、相互に助け合う関係が深くなることが望ましいとしても、世界が一つの国のようにまとまった存在になっているわけではない。国連は主として情報の集約と評価・発信の役割にとどまり、ＥＵ内でさえも、感染防止のためとして国境を閉鎖するなど、国別の主権主張行為が見られている。日本の場合、独立国家としての安全保障に関して致命的な脆弱性を持っていることが浮き彫りとなった。

〝マスク騒ぎ〟はその一例である。「Ｎ９５」と呼ばれる感染症医療には欠かせないマスクは、大半が中国からの輸入に頼っていることが明らかとなった。そして、中国が輸出を渋ったとき、日本の多くの医療機関から悲鳴が上がった。マスク一つでこんな大きな影響が起きるのかと驚かされ、また、これが他の物資ならばもっと大きな混乱につながりかねないと、脅威さえ感じさせられた。

まず、第一に思い浮かんだのは、食料である。カロリーベースで自給率は38％である（2017年）。もちろん世界の中でも最低レベルの自給率である。戦後直後の88％（1946年）から、71年の間に50％も下がっている。小麦14％、大豆7％、牛肉36％、油脂12％、砂糖32％などが特に低い。豆腐好きの日本の大豆は、ほぼ輸入に頼っており、あまりにも一般的になっているパン食の原料はほとんどが外国頼りである。何かの事件で外国からの輸入に制限がかけられたとき、食料の問題はマスクよりもはるかに大きな影響が生じる。

マスクの他にも、自立した国として整えなければならないような物資の供給体制は大丈夫なのか、常にそのことを意識して基本的な体制を構想しておかなければならない。自由貿易にすべてを委ねるのではなく、自立した国として安心した生活ができるような産業構造を維持していくことがいかに大切であるか、マスク騒動が思い出させてくれた。

報道の危機

危機に直面したときこそ、科学的に裏打ちされた正確な情報、客観的で公正な報道が何より求められる。ほとんどの国民は、直接的一次情報に接することは不可能で、報道によってのみ判断しなければならないから、報道の責務は極めて大きい。

ただ、どのような報道が公正で正確なのか、評価は大変難しい。公正さと正確さを追求していても、常に誤認のリスクを抱えているのが人間の営みである。そのリスクを小さくするためにこそ、報道の自由や言論の自由があり、角度の異なる多様な報道が必要である。日本国民は、このことを理解するのにとてつもなく大きな犠牲を払った。国家に統制された報道によって判断力を失った国民は、他国を侵略するための戦争に駆り出され、同じ国民でありながら、戦争反対を主張する人々を〝国賊〟とののしるようになってしまった。大本営発表以外の情報を得られない国民は、日本国中が破壊され尽くしても戦争を止める声を上げることができず、自ら玉砕を叫ぶまで戦わされた。どんなに知性豊かな人であろうと、正義感に満ちた人であろうと、事実を正しく伝えた情報がなければ正しい判断はできない。

毎日のコロナウイルス流行の報道に接しながら、私は二重の怖さを感じている。一つは、もちろん感染の広がりであるが、もう一つは報道の在り方である。

残念ながら日本政府の初動対応は、大変鈍いものであった。専門家会議が2月14日になるまで召集されなかったことや、重要な時期の政府対策本部会議に3人の閣僚が公務以外で欠席していたことが、それを象徴している。全国の学校（小中高）を一斉に休校にする措置なども事前に想定して練り上げられていなければならないはずなのに、例えば、文部科学大臣は欠席していた。２０１９年の年末から対策を総合的に練り上げていた台湾と比べれば、その怠慢は際立っている。

北海道知事が、道内の感染状況のデータをもとに判断し、道内の学校を一斉休校にした直後、政府は全国の学校を一斉に休校（3月2日から2週間程度）とする指示を出した。この政府の指示の出し方は問題である。全く事前の準備がなく、それまでの対策の遅れを取り戻すために、慌てふためいて唐突に出したとしか考えようがない。何よりも、どのようなデータ的根拠から出したのか、一切示されていない。一人の感染者もいない県も、一斉休校とされた。専門家会議の助言で全国一斉休校が出されたのでもなかった。そのような指示の出し方では、その指示を解除するときも判断できないことになる。案の定、3月20日に全国一斉休校は延長しない（解除する）ことを決めたが、全国的な感染状況は3月2日よりもはるかに悪化していた。悪化しているのに指示を解除する、科学的には支離滅裂である。

今の政府の打ち出すすべての政策の特徴は、データ的な根拠が示されないことである。感染の検査（現在はＰＣＲ検査）に対する方針は、特に問題である。日本政府は、検査に対してあえて消極的な方針を採っていた。「37・5度以上の発熱が4日間以上続いた場合に検査を相談する」という、重症者を増やし、感染者をあえて野放しにする方針を未だに変えていない（3月末）。発熱が1日でも続けば医療機関にかかるのは当たり前であり、その際コロナウイルスの感染を調べなければならない。

政府は専門家会議の提言をもとにこの政策を出しているのかと思えば、参議院の公聴会で、専門家会議の副座長を務める専門家は「個人的には、4日間放置すれば重症化するので、発熱の場合は1日目からでも検査すべきであると考えている」というような答弁をしている。初期に集団感染が出た和歌山県では、知事が国のこの方針に従わないことを公言し、徹底した検査に基づいた隔離対策を採り、感染拡大を食い止めた。

予防薬ができていない感染症の広がりを抑える手段は、「いち早く感染者を発見し、隔離する」以外にはない。また、どのような政策が求められているのか判断するにも、検査を充実させて状況を正確につかむしかない。検査を重視しているドイツ、韓国と日本のデータを比べてみる（BS放送番組『報道1930』より／3月27日時点）と、この点での日本の遅れが、まさに桁違いに著しい。

ドイツ（検査数：約41万件　感染者数：約3万6千人　死者数：約230人）
韓　国（検査数：約37万件　感染者数：約9千300人　死者数：約140人）
日　本（検査数：約2万5千件　感染者数：約1千500人　死者数：約50人）

検査数と感染者（感染判明者）の比率、感染者と死者の比率において理解できない部分があるのは、このウイルスがまだよくわかっていないということである。また、あくまで現在は対策の途中なので、政府が採った検査抑制の方針の是非は、後日の検証に任せなければならない。

検査に消極的な政府の方針に対して、多くの専門家や医療関係者、評論家、ジャーナリストなどから、疑問や批判の声が上がったのは当然のことである。しかし、NHKは一貫して「37・5度以上4日間で検査の相談を」という呼びかけを続け、また政府への批判の声が高まるのをなだめることに熱心ではあったが、検査に消極的であることへの批判の声は報道してこなかった。また、視聴者からの「毎日の感染者数は、検査数をともに発表し、陽性率を報道してほしい」という要望に対して、なんら応えようとはしなかった。官邸のホームページに今も残っている「37・5度、4日間で検査相談」という基準（3月末）は、NHKの報道姿勢とともに、コロナ対策の汚点として検証され語り継がれるだろう。

NHKニュースで登場する専門家は、検査を広げるべきであるとは言わない人たちばかりである。公聴会で、個人的見解として「37・5度で4日間は問題である」と答弁した専門家会議の副座長は、最初はよくNHKニュースに登場していたが、そのときは検査を増やすべきであるとは言っていなかった。現在ではNHKニュースによく出るのは別の専門家である。もちろん、検査を増やすべきであるとは言わない専門家である。政府の方針は正確に伝えなければならないが、専門家の間でも賛否両論あるような点については、両方の意見を報道すべきである。

日常的に政府擁護の発言が目立っていた評論家たち（いわゆる政府の応援団）は、ある時期を境に、様々な理由を付けて、検査を増やすのは間違いであると、一斉に声を大きくし始めた。同時に、テレビで検査拡大の必要を訴えていた医療関係者（病院の院長など）には、電話で嫌がらせに近い抗議が集中し始め、病院の運営にも支障をきたすようになり、テレビの画面から消えざるを得なくなった。

三種類の世論誘導が巧妙に組み合わされている。

第一種は、ＮＨＫのように政府の方針を無批判的に伝え、また、政府への批判の高まりをなだめ、抑えるだけの報道である。第二種は、政府の方針を批判する人物を、同じメディアの中で批判する報道である。第三種は、報道番組から政府に批判的な人物を追い出そうとする、〝表からは見えない陰湿な圧力や働きかけ〟である。

第一種に対しては、特にＮＨＫは国民の受信料で運営しているのであるから、国民に正しい情報を提供する責務を放棄していると批判されなければならない。政府の方針はもちろん伝えなければならないが、それで終わるなら報道機関ではない。検査数など、政府が発表したがらない数値も客観的資料として取材し、報道すべきである。第二種に関して言えば、政府を擁護する意見も批判する意見も活発に議論し合えるのであれば、それは好ましいことであり〝世論誘導〟などと表現すべきではない。しかし実際は、第二種と第三種が結び付いており、メディアの中で、政府に批判的な主張をする人物が居場所を奪われている。この間の事例としては、例えば、検査の必要性を熱心に訴え続けていたある番組には、首相官邸が裏に立ち表に立ち圧力をかけていたことが明らかにされている。首相官邸と大手広告会社の結びつきは周知の事実であり、メディアと大手広告会社は深い利害関係にある。このように官邸がメディアに圧力をかけているのは、日本の民主主義にとって、極めて深刻な状態である。

コロナウイルスの流行は、改めて、日々起きる事件や政治的出来事の報道を見直す機会になっている。歴史の教訓に反する逆流がますます強くなっている。特に、憲政史上最長の在任記録を打ち立てた首相（安倍晋三）になってからの危機の進行は、私が知る範囲で最も激しい。首相自らが関係した事件で、ある程度まで厳しい報道がなされていたとしても、ある時期を境に一斉に報道の姿勢が変わることがよく目についた（森友、加計、桜を見る会問題）。NHKだけでなく民間放送もそうである。公文書の改ざん、統計データの改ざんなどが行われても、誰一人として責任者が罪に問われない状態が放置されているが、〝報道の歪み〟についても、同じ状態である。

法律上、日本の首相の権力は、絶大である。裁判官は肝心なところでは政府に逆らえないような法体系になっており、官僚は人事権を握られ内閣に批判的な人物は出世から外され、検察庁の幹部も完全に支配下に置けるような法律案（検察庁法改正案）が、コロナ騒ぎの中で検討されていると言われている。経済政策の要となる日銀の総裁は、独自の客観的な姿勢を崩し完全に内閣の指示通りの政策しか出さなくなり、報道の要であるＮＨＫは、経営委員会も会長も実質的に人事権を内閣に握られており、日々のニュースの細部にまで首相官邸が注文を付けるようになっている。国会のテレビ中継が行われる日、実際の中継と夕方のＮＨＫニュースを見比べれば、どのように圧力がかけられているか推し測ることができるほど、露骨になってきている。

政府に批判的な評論家や学者はテレビの画面から次々と消え、孤軍奮闘を強いられている。芸能人、有名人として国民的人気の高い人物が首相との会食に招待され、様々な番組に登場し、いろいろな形で政府の応援役を果たしている。

そのような有名人の取り込み費用に「内閣官房機密費（報償費）」が使われているという推測は、まず間違いないであろう（実名入りで雑誌の記事にされたこともある）。年間で10億円をはるかに超える額が、政策推進費という名目で支出されているが、領収書はもちろん誰に支払ったのかさえも一切公表されていない。首相から会食に誘われ、喜々として参加し、それを自慢げに公表していた芸能人や文化人は、自分はそのつもりではなくても、時の権力者に利用されかねないという危機感を持ってほしいと、切に願いたい。

「みんなは一人のために、一人はみんなのために」

先進国と言われている国での流行も先が見えない状態であるが、感染は地球上に広がり、例えば、アフリカでも広がりつつある。栄養状態、衛生状態が良くない上に医療体制が整っていない地域で感染が広がれば（すでに広がり始めているが）世界中が手を付けられない状態になる。貧しい人々、貧しい国々ではより深刻な結果となるだろう。被害にも格差があるのは問題であるが、それだけでは済まない。世界のどこかでウイルスが蔓延している限り、世界中の安定・安心はない。人の間の格差、国の間の格差の存在が問われることになる。

新自由主義政策により国の役割を小さくし、「自己責任」を基本とする国と、国（社会全体）が国民全体の安全安心のために全力を挙げている国との差は、流行に対する対応では特に顕著である。例えば、国の役割が大きな国では、「国が休業命令を出すことと収入減を補償すること」が一体のものとして提起される。「自己責任」の国では、悲しいかな「休業による収入減は破産リスク」と一体のものである。

すべての人々、すべての国々を大切にしなければ、ウイルスとの戦いには勝てない。世界のどこかで流行の種が残っている間は、すべての国、すべての人々にリスクが残っていると見なさなければならない。感染を収束させるために世界中が協力しなければならない。「みんなは一人のために、一人はみんなのために」というホモサピエンスの原点を、否が応でも思い出さなければならない。

流行は、日本でも世界でも、これからますます重大局面に入ると思われる。ちょうど出版の機会に重なったので、３月末の段階で思いつくことを急遽書き連ねただけになってしまったが、問題は残されたままなので、心配は次から次へと出てくるだろう。ここで危惧されたことが、杞憂に終わることを願い、本当の原稿の終わりにしたい。

２０２０年3月末

付録1　教育を受ける権利から教育を作る権利へ

大人は子どもたちに何を教えたいのか　デンマークの例から考える
『こみゆんと』No.30／あゆみ出版／1996年10月（教育基本法は改正前の旧法）より

学校が自由に作れたらいいのに

子どもたちが「あんな学校へ行きたくない」というシグナルを有形無形に送ってくるとき、本当に心が痛むことがある。「あんな学校」と表現されても仕方がないような部分を、多くの学校は抱えている。「あんな学校ではなくて、こんな学校がいい」と思えるような学校を、財政的な心配もせず自由に作れるようになったら、どんなにか素晴らしいことだろうと思う。実は、そんなことが可能な国が存在していた。

外国を調べてみることで、日本の問題点をより鮮明にとらえたいという考えから私はデンマークの教育に興味を持った。文献から学ぶだけでなく、直接話を聞いたり見学したいと、デンマーク旅行も行った。そこで触れたデンマークの教育は「教育権」「個性の尊重」「多様性の意味」というような教育の基本問題に関して、新しい視点を与えてくれた。以下、そのことをまとめてみたい。

教育制度の背景には、それを支える社会的土壌があり、歴史的経過がある。

働く意思があれば学歴の有無にかかわらず生活には困らない高度な社会保障制度、無料で平等に保障された公教育や医療、婦人の就業率の高さとそれを支える進んだ保育制度、世界でトップレベルの労働時間の短縮と時間当たりの実質賃金（1992年の資料では日本の2・1倍）、進んだ地方分権、半数以上の国民が公費援助を受けて参加している成人教育の定着、民意を正確に反映する比例代表の選挙制度と国民の政治への関心の高さ、進んだ環境政策（特に自然エネルギーの利用やリサイクル）、高い税負担が所得の再分配の方法としてむしろ積極的な意味付けをされていること（当然、高税率に反対している人々もいるが）など、すべてのことが有機的につながり、デンマーク社会を特徴付けている。

それらについて十分に述べることはできないが、日本の教育問題を考えるときも、社会的土壌との関連でとらえること、歴史的視野から考えることは大切である。

フォルケ・ホイスコーレの運動

日本において、デンマークの教育制度やその歴史について、紹介される機会は少なかったように思われる。デンマークの教育を考える場合、150年の歴史を持ち、デンマークの教育に最も大きな影響を与えたと言われている教育・文化運動であるフォルケ・ホイスコーレ（民衆高等学校）運動のことを無視することはできない。その運動を中心に、歴史を概観してみたい。ここで紹介する内容は、デンマークのフォルケ・ホイスコーレ協会のいくつかの出版物、デンマーク教育省の出版物、デンマークの教育を紹介した貴重な書籍（オヴェ・コースゴール、清水満『デンマークで生れたフリースクール「フォルケホイスコーレ」の世界』新評論／1993年）、私がデンマーク旅行中に受けたゼミナールなどに基づいている。

19世紀初頭のデンマークは、文化的・経済的にはドイツ、イギリスの影響下にあった。ドイツ語が公用語とされ、知識人はドイツ語を用い、圧倒的多数者である農民はデンマーク語を使っていた。国のリーダーとなる「エリート」たちは、近代科学の知識と西洋の古典と英・独・仏語の教育を受け、知らず知らずのうちにデンマークの伝統的農民文化を蔑視するようになり、農民自身もいわれないコンプレックスに陥るようになっていた。

1814年、初等教育の義務教育が制度化された。それまでは、日本の寺子屋に相当するような私塾が庶民の教育の中心であったが、義務教育の導入に伴って「よき国家人を作る」ということに教育の目的が集約され、内容の規格化・画一化が進められた。

ヨーロッパ諸国の市民革命の余波がデンマークにも押し寄せ、市民階級は民主主義を唱え、農民を味方に取り込むことでデンマーク革命を達成した。この時代に文化・教育面で重要な役割を果たしたのが、宗教家・詩人・政治家・思想家のグルントヴィである。彼は農民の中で圧倒的な人気があった。現在でも、デンマークのほとんどの家庭に、1冊は彼の詩の本が置かれていると言われている。

彼は「農民が現在のような状態では真の民主主義の達成はない。農民が堂々と誇りを持って社会の表舞台に出て来られるようにしなければならない」と、多数者である農民の教育の必要を訴えた。国家人を作るための画一的な公教育を批判し、「子どもは親のもの、国家から子どもを取り返そう」と訴えた。出世の糧とする教育ではなくて、〝人生を豊かにするための教育〟を訴えた。教育方法においても、伝統的農民文化を尊重する立場から、デンマーク語の生きた会話による教育の必要を唱え、北欧神話の発掘・普及に努めた。

彼は農民のための民衆総合大学の設立を目指したが、果たせなかった。しかし、代わりに、彼の思想に鼓舞された農民たちによって、1844年に小規模なフォルケ・ホイスコーレ（民衆高等学校）が作られた。すぐれた後継者の教育実践の成功によって、全国にフォルケ・ホイスコーレが作られ、以来ずっと公教育と対抗する形で、公教育に影響を与えながら発展してきた。

〝人生のための学校〟だから、試験や出世のための資格の取得とは無縁で、学びたい者が集まる学校であった。当初は、男子は冬の農閑期に、女子は夏季に就学するようになっていた。女子のための高等教育という意味でも、画期的なものであった。卒業生は、農民運動、各種の社会活動、協同組合運動のリーダーとして、世界に冠たる農業国デンマークづくりに大きく貢献した。

その後、停滞期も経験しながら、現在はデンマーク国内に約100校、北欧に約400校存在し、ドイツ、オランダ、アフリカの諸国、インドなどにも広まっている。また、フォルケ・ホイスコーレの流れを汲むエフタースコーレ（全寮制で私立の自由中学校）、フリースコーレ（私立の自由小学校）も増えており、現在デンマーク内に、それぞれ224校、200校存在し、約15％の子どもが学んでいる（1993年）。

いくつかの学校を後で紹介したいと思うが、あらかじめ述べておきたいのは、このような学校の存在が公立の学校の教育内容に与えた影響である。フォルケ・ホイスコーレの教育方法が公立学校にも取り入れられ、国家からカリキュラムが独立し、保護者と教員たちが学校を運営して、国は財政援助をするだけ、という今日のデンマークの公教育の原則が作られたのである。

デンマークの教育制度

デンマークの教育制度の全体像を簡単な文章で説明するのは大変難しい。義務教育は9年間を基本としているが、本人の希望で10年間または11年間に引き延ばすことも可能である。およそ半数の子どもが10年間以上の義務教育を受けている。

また、この義務教育の制度は就学義務を伴っていないので、事情で学校に通えない児童・生徒に対して、行政は事情に応じた教育を保障しなければならない。不登校という問題自体が起こり得ない。

1学年から7学年までは成績に評価は行われないが、必要な学力や知力を付けることに無頓着なのではない。義務教育最終学年では、基礎学力問題、応用力を試す難問、口頭試験が全員に課せられ、かなりきめ細かな学力判定が行われ、その後の進路決定の参考にされる。

義務教育後は、約半数が職業訓練学校に進む。その卒業生は、主に、いわゆるホワイトカラーやブルーカラーと呼ばれる一般労働者になる。3分の1以上の生徒が、ギムナジウムや進学予備過程を経て大学に進む。大学は、医者、弁護士、研究職、教員などの専門職養成のための学校であり、いわゆるサラリーマンの養成所ではない。ただ、一度コースを選んでしまえば他のコースに入れないというものではなく、例えば職業訓練学校で学んだ後でも大学に進学することは可能である。

学力によって進路が決められるのならば、日本とあまり変わらないではないかと思われるかもしれない。確かに、十分な学力・知力を備えていなければ、ギムナジウムにも大学にも進学できないが、学歴によって将来の生活の豊かさが決められてしまうわけではない、という点が根本的に異なっている。例えば、失業率はヨーロッパ全体の平均と同じぐらいであるが、デンマークでは高学歴者にむしろ失業者が多いと言われている。確かに、国際競争力のために厳しい学力競争が必要であるという声もあるが、それは少数意見である。働く意思があれば失業しても生活に困らないし、いろいろな職業の人がそれぞれに豊かな生活をしており、貧富の差が少ないので、いわゆる上昇志向と呼ばれる考え方は一般的ではないのである。

現在のフォルケ・ホイスコーレは、このような教育制度の中にあって、1カ月程度の短期コースから1年程度の長期コースのカリキュラムを備えた、17歳以上のすべての人に開かれた全寮制の学校として存在している。大学に入る前の若者、成人、退職後の老人、大学在学中の学生などが、自分の人生を豊かにするための場として活用している。1990年には人口500万のデンマークで、6万人がフォルケ・ホイスコーレで学んだ。

個性豊かな多様な学校

就学義務がなく、自宅での教育さえ認められていることが、学校についても多様な形態が認められる根拠となっている。保護者は、簡単に自分たちが理想とするような私立の学校を作ることができる。

私立学校設立に関して、次の３点が基本原則とされている。

①教育方法、教育課程は学校が決定する（国ではない）。

②経済的に裕福でない人々でも学校を設立し運営できるように、国は運営と設立のための援助を行う。

③できる限り多数の人が学べるように、国は一人一人の生徒に対しても援助を行う。

この原則から、国と自治体からの援助によって、生徒数が28人以上集まれば財政的にも無理なく運営できるようになっている。保護者が校長とすべき人物を選び、校長は教員集団を組織する。保護者と教員集団の意思疎通は重視されるが、もし、保護者、校長、教員の間で教育方針にくい違いが生じ、議論を尽くしても修復できない場合は、校長の解任、教員の再組織、別の学校の設立などの形で解決される。

私が訪問した7校の私立学校は、すべてが個性的で、学校という存在の可能性の大きさを改めて感じさせてくれるものであった。そこでうかがった話に基づいて、いくつかの学校を簡単に紹介しよう。

〈ランスグラウ・フリースコーレ（自由小学校）の例〉

1869年、ある農家の障害児の教育のために、5人の児童から出発し、授業が始められた。現在は全校児童133人、1クラスは18人以内である。親が支払うのは1カ月450クローネ（約6750円／1993年）。

近代的知識を急いで教えるのではなく、子ども時代をゆっくりと味わわせること、そのため実践的な活動（工芸、運動、演劇など）を重視している。

毎朝行われる歌とお話の全校児童の集会には、父母も参加する（およそ30人程度）。号令などなく、なごやかな雰囲気で行われ、先生の語りかけが始まると児童は集中する。すべて公開であり、いつでも、誰にでも教育活動のすべてを見せる。教育省の管理ではなく、親の希望と教師の考えで学校運営がされる。定期的な父母との会議には90％ぐらいの親が参加し、教育の内容を巡って活発に意見が交換される。

〈フラッゲビャアグ・エフタースコーレ（自由中学校）の例〉

1978年に発足。現在、先生は15人で、うち10人が教員養成学校を卒業している（先生には、必ずしも学歴は必要がなく、例えば、カヌー作りの大工さんが木工の授業を担当したりしている）。4クラスで全校生徒は76人である。学校運営の費用の70％を国からの補助でまかなっている。学費（生活費を含む）は3万7千クローネ（約55万円）。ただし、個人に対しては自治体から1万2千クローネ（約18万円）の援助と、政府から親の収入に応じた援助がある。

自立心と民主主義を基本方針とし、1、2名の教員と12〜14人の生徒で〝家族〟と呼ばれるグループを作り、それを単位として寮生活をしている。昼食は自分たちで作る。5ヘクタールの土地を持ち、馬を10頭、豚をたくさん飼っている。肉とじゃがいもは全部自給し、貯蔵庫も生徒が作ったものである。

基本科目は公立の学校と同じであるが、年間4つのプロジェクトに分かれて行う実践的な活動に特徴がある。例えば、馬小屋作り、海外援助活動、企業ビジネス（生産・資金交渉・組合・ストライキ）、自然学習（保護・利用・野外活動）というようなプロジェクトが行われた。

朝8時に全員でラジオのニュースを聞いて意見を述べ合うのが全校集会である。また、週に1回、学校運営について生徒の話し合いがある。校則は、共同生活をするために何が必要かということに基づいて、必要最小限なものに抑えられている。個人の問題として各自の判断に任せるべき内容と、集団生活のために加えなければならない必要な規制を明確に区別している。

例えば、校舎や寮内での喫煙は、たばこが嫌いな人に迷惑をかけるという理由から厳しく禁止しているが、他人に迷惑をかけない屋外での喫煙は禁止していない。すべての野外テーブルの上には灰皿が用意されており、雨天の場合の喫煙室も用意されている。たばこの害を教えて禁煙教育の効果を上げることと、校則で縛ることとは全く別問題であると考えられている。

〈トゥビンド・フォルケ・ホイスコーレ（民衆高等学校）の例〉

1960年に既成の学校の一室を借りて始められた。1972年、校舎、寮、体育館、農園、バラ園、プール、汚水処理施設のすべてを教師と生徒の手作りで完成させ、現在の位置に移転してきた。

トゥビンドといえば、風車が有名である。教師と生徒が住民の協力を得て、廃品を利用し、高さ53メートルの大きな風車発電施設を作った。稼働時間においては、現在世界記録を更新中で、ギネスブックにも載っている。トゥビンドの施設に必要な電力の80%を、この風車でまかなっている。

これが発端となり、全国のフォルケ・ホイスコーレで風車が作られ、デンマークにおける自然エネルギー利用の世論作りに大きく貢献した。風車が作られた当時は、国で原子力発電の導入に関して、賛否が分かれて議論の最中であった。デンマークでは原子力発電を導入しないだけでなく、周辺諸国にも導入しないように働きかけるということで国の方針が決められたが、フォルケ・ホイスコーレの風車建設の運動はその決定に大きな役割を果たした。今や、デンマークの風車技術は世界をリードする大きな産業にまで発展している（東道利廣「永続的なエネルギーシステムをめざして―デンマークの例に学ぶ―」学会誌『人間と環境』VOL．20 No.1 日本環境学会より）。

現在、トゥビンドにはいろいろなタイプの学校が集まり、数百人からなる1つの教育社会を形成している。その中でも特に個性的な〝学校〟は、『旅するホイスコーレ』と呼ばれるもので、それはいわば〝究極の修学旅行コース〟である。1クラス8～10人で構成され、中古バスなどを利用して行う海外援助活動を主要カリキュラムとしている。バスを修理改造するための勉強や、旅行先の国についての勉強（簡単な会話、習慣、抱えている社会問題）に4カ月をかける。旅行先で、学校や病院などの社会資本作り、植樹などの援助活動を4カ月行う。帰国後、デンマーク国内でインフォメーション活動をする。1つのクラスが帰ると、次のクラスとバトンタッチすることで、援助活動が継続される。トゥビンドは現代的カリキュラムのパイオニアではあるが、海外援助活動に偏りすぎているという批判も一部から受けている。

その他、紹介する紙面的余裕がないが、母子・父子家庭や外国からの難民を家族ぐるみで受け入れる、保育所を持っているフォルケ・ホイスコーレなども個性的な存在であった。

日本の教育に何を提起しているのか

デンマークの教育は、日本の教育に何を提起しているのだろうか。教育権という視点から考えてみよう。

教育を受ける権利については、次のように記述されている。「①すべて国民は、法律の定めるところにより、その能力に応じて、ひとしく教育を受ける権利を有する。②……義務教育はこれを無償とする」（憲法第26条）、「①すべて国民は、ひとしく、その能力に応ずる教育を受ける機会を与えられなければならない……」（教育基本法第3条）、「①国民は、その保護する子女に、九年の普通教育を受けさせる義務を負う」（教育基本法第4条）。

義務教育後の教育については、経済的理由などにより、教育を受ける権利が必ずしも平等に与えられているのではないという問題は残っているが、これらの法によって規定されている内容は、大変意義深い積極的なものである。
教育内容の決定に関しては、次のように記述されている。
「教育は、人格の完成をめざし、平和的な国家及び社会の形成者として、真理と正義を愛し、個人の価値をたっとび、勤労と責任を重んじ、自主的精神に充ちた心身ともに健康な国民の育成を期して行われなければならない。……この目的を達成するためには、学問の自由を尊重し、……」（教育基本法第1、2条）
「①法律に定める学校は、公の性質をもつものであつて、国又は地方公共団体の外、法律に定める法人のみが、これを設置することができる。②法律に定める学校の教員は、全体の奉仕者であつて……その職責の遂行に努めなければならない」（教育基本法第6条）
「教育は、不当な支配に服することなく、国民全体に対して直接に責任を負つて行われるべきものである。②教育行政は、この自覚のもとに、教育の目的を遂行するに必要な諸条件の整備確立を目標として行われなければならない」（教育基本法第10条）
「③校長は、校務をつかさどり、所属職員を監督する。⑥教諭は、児童の教育をつかさどる」（学校教育法第28条）。
これらの記述によって、教育は社会全体の奉仕者である教員が、公の学校において、子どもの人格の完成のために、不当な支配に服することなく、真理と正義の原則に基づいて、直接国民に責任を負う形で行うこととされている。そして、行政の役割はそのための条件整備であるとされている。

しかし、問題はこのような一般的原則の具体化のされ方である。

「小学校の教科に関する事項は、……監督庁が、これを定める」（学校教育法第20条）

「①小学校においては、文部大臣の検定を経た教科用図書又は文部省が著作の名義を有する教科用図書を使用しなければならない」（学校教育法第21条）

「小学校の教育課程については、……教育課程の基準として文部大臣が別に公示する小学校学習指導要領によるものとする」（学校教育法施行規則第25条）。

このように、教育内容の決定に際して、具体的になるにしたがって、行政の役割と権限が表面に出てきており、憲法や教育基本法の理念は、必ずしもそのまま具体化されていないように思われる。例えば、教科書検定の在り方を問う議論が決着の付かないまま延々と続いており、学習指導要領の性格についての評価も混乱したままになっているのは、このような法体系の持つ微妙な矛盾にも原因がある。

真理や正義ということの意義を低めるつもりはないが、そもそも真理や正義と呼ばれる事柄は人間の判断を経たものであり、絶対的なものではない。教育という行為は、個々の親が自分の子どもを育てることから出発し、親たちの社会が子どもたちを育てる、というように発展してきたものである。ある時点での正義や真理の評価は分かれているということを前提として、保護者が自分たちが信ずる真理と正義を子どもたちに伝える権利を持っているのかどうか、それが問題である。

自分たちの学校がいとも簡単に作れるデンマークの制度は、教育権の保障という意味でより完成に近い形態であるが、その高さから見ると、日本の教育権の不完全さが見えてくる。

子どもに伝えるに値する文化を持っているか

日本の学校は画一的で個性を尊重できないというのは、よく指摘される問題である。そして、特に高校教育に多様なコース・学科を用意することで、その問題点を解決しようという方向も出されている。最後に、この点について意見を述べたい。

まず最初に指摘したいのは、現在私たちの目の前で進められている〝多様化〟は、子どもたちや父母の自発的要求から生まれたものではない、ということである。

同じ多様な学校といっても、デンマークのように国民的な教育運動の結果作られた多様な学校と、国家的な政策として上から作られた多様な学校では、大きな違いがある。

さらに、この問題で最も大切であると思われるのは、次のような点である。

多様な個性を尊重するというのは本来、学校において多様な学習の方法を認めるだけでなく、卒業後の多様な生き方を保障することと一体のものでなければならない。つまり、大人の社会が次の世代に〝多様な豊かな暮らし〟を用意するというものでなければならない。

学校時代にいくら多様なコースを用意しても、その多様なコースの中で将来の豊かさに結び付くのが特定のコースだけであるとすれば、それは、特定の個性を優遇し、その他の個性を冷遇したということにしかならない。このような多様化を個性の尊重と言うのは、一種のペテンである。

デンマークにおいても、子どもに高学歴を付けることに価値を見出している人たちがいて、その人たちはそのために最も効率的であると思われるような学校を作っている。

ただ根本的に違うのは、デンマークでは、学歴にかかわらず一定の豊かな生活が保障されているということである。そして、結果的に、子ども時代をよりゆったりと過ごさせる学校のほうが圧倒的に人気が高いということである。

問題は、高学歴が生活の豊かさの保障と見なされ、大多数の人々がそのために躍起になっているという日本の社会的背景である。

学校教育の問題も、根本的には、大人の社会の問題である。大人の社会は、多様な個性が尊重され、個性に応じて多様な豊かさを味わえるようになっているだろうか。大人たちが、自分たちの現状に誇りを持てず、せめて子どもたちには自分とは違う生活をさせてやりたいと願い、そのための手段として教育を考えている限り、問題は根本的に解決されることはないだろうと思われる。

理想的な学校は、多様な豊かさを持った大人たちが、自分たちの豊かさを文化として子どもたちに伝えていく場である。したがって、私たち大人が、子どもたちに伝えるに値する豊かさを持っているか、自己点検を迫られることにもなる。

デンマークのフォルケ・ホイスコーレは、貧しい農民が農民の状態から脱出するための学歴を付けるために作られたのではなく、農民が農民として、人生を豊かに送れることを目指して作られた。そのような伝統を持つフォルケ・ホイスコーレが、１５０年以上も発展を続け、国全体の教育に大きな影響を与えていることの意味は限りなく大きい。日本の教育が抱えている矛盾の前で無力感にうなだれてしまいがちな私たちに、大きな励ましを与えてくれる。

デンマークの例から考えるべきことは、次のようにまとめられるだろう。

完全な教育権の確立のためには、教育を受ける権利にとどまらず、教育内容と方法の決定の権利の確立が不可欠である。そして、そのような教育を作る段階になって、新たな課題が見えてくる。大人は子どもたちに何を教えたいのか、大人の社会は子どもたちに伝えるべき個性的で多様な豊かさを持っているか、ということである。つまり、教育を作る権利の確立は、私たち大人の社会を見直し、変革という課題を提起することにもなるのである。

付録2　人はどのように自然と付き合うべきか

大阪府立堺西高校文化祭2年7組企画『環境問題を考える』パンフレット〈1990年9月30日〉担任レポート。教育タイムス第2014、2015、2016号より一部修正加筆

PCB汚染の恐ろしさ

海洋汚染で調べられているように、見た目には公害などありそうもない澄みきった海水の外洋でも、約1PPt（1兆分の1）の濃度でPCBに汚染されている。10数年前（1972年）に製造・使用禁止になった人口物質が未だに残っているのである。そして海水の1PPtという濃度が、食物連鎖によって、イルカでは約30ppm（ppmは百万分の1）まで、シャチではさらにその10倍まで濃縮される。人への汚染は1ppmと言われている。

PCBが原因とされたカネミ油症事件（1968年／患者数約1万人、死者52人）は、言わば〝PCB高濃度汚染の世界初の症例〟になってしまった。発病した患者は0・5g～3gのPCBを摂取している。つまり、10ppm～100ppmぐらいで発病（主に肝臓疾患）しているのである。また急性毒性ではなく、長期によって蓄積されることで、発がん性や免疫系、神経系への悪影響があり、ウイルス性の病気に対する抵抗力が弱くなることが疑われている。

恐ろしいことに、この汚染は子や孫にまで引き継がれる。ネズミの実験では、妊娠中の胎児に母親より高い濃度でPCBが吸収されることが確かめられている。また、乳脂肪の中に溶けやすいので、授乳期に最も濃厚な汚染にさらされる。測定されたデータによればイルカでは、若いイルカほど汚染度が高くなっている。そして、何より怖いのは、一度放出されたPCBは自然界では分解されることなく、ずっと大気、海洋、水、土壌、海底などに残されることである（今も、広く大洋の海底でも広範囲に汚染されていることが報告されている。マリアナ海溝の深海生物《甲殻類》からも検出されている。2019年）。

人は、なんと厄介な「地球の手に負えない物質」を創り出し、無責任にも地球に放出してしまったのか！

人と自然の関係の基本

地球上には、確認されているもので約140万種の生物がいる。未知のものを含めれば、1千万〜3千万種と推定されている。ある報告では、1年に約4万種の生物が絶滅しているとされている。思わず疑ってしまいたくなる数値である。推定の正しさがどの程度なのかという検討も必要だろうが、いずれにしても、急速に絶滅が進んでいることは確かであろう。大変な問題である。他の生物が滅んで、人類のみが生き延びていけるわけはないのだから。

このような状況の中で「人と自然の関係がどうあるべきなのか」という基本的な問題について、改めて厳しく問われていると思う。

言うまでもなく、人類は自然の一部分であり、自然の変化の歴史の中で生まれた。人間の一つの生物としての活動にはすべて自然界の法則が貫かれている。また、無限の多様性を持つ自然界の一部でありながら、自らの中にも無限の多様性を持つ自然を抱えている存在である。例えば、人間は体の中に多様な生物を住まわせていて、それらの働きのおかげで人間が生きている。

地球上のすべての生物は、どの種もみんな支え合って生きている。どの種も、なんらかのかけがえのない役割（私たちがそれを知っていてもいなくても）を、生態系の中で果たしている。一つの種がなくなれば、その種の果たしていた役割は、空席になってしまう。

〝種の寿命〟ということもあり、種の世代交代が行われることが、進化の歴史でもあった。滅びる種があれば生まれる種がある。しかしそれは一年間に何万種も滅びるようなスピードで行われるのではない。現在のような猛烈なスピードで種の絶滅が進んでいるというのは、自然界を支えている柱が次々と切り倒されているということである。その柱は人間を支えている柱でもある。他の種を犠牲にして人間だけが繁栄するというのは原理的に不可能である。

自然の前でどうあるべきか

人間の力が小さかったときは、人間のエゴイズムも、ライオンが他の動物を食べて生きているのと同じで、自然の摂理として〝大目に〟見てもらえた。しかし、文明を発展させ、自然に対して大きな影響力を持ってきた今は、その力の使い方一つが、地球の存亡、人間の存亡に関わってくる。

今、一番心がけなければならないことは、何をするときでも、自然に対して丁寧に「してもよいでしょうか」と、〝おうかがい〟を立てることである。返事は無言である。無言の意味は「周りをよく見て、自分で判断しなさい」ということである。

例えば、人間は今までに約1千万種の人工物質を創り出してきた。ＰＣＢもフロンもダイオキシンもその一つである。ＰＣＢを製造するとき、なぜちゃんと〝おうかがい〟を立てなかったのだろうか。あんなに猛毒で、安定した（壊れない）物質なら、すぐに「創ってはいけない」とわかるはずである。ちょっと動物実験すればよいことであった。

もっと人は自然の前で謙虚でなければならない。自然（地球）が、45億年の歴史の中で、「材料はあったけれど造らなかった物質」には、まず何か問題があると思ってかからなければいけない。自然さえ造るのをためらったのだから、人間はもっと慎重でなければならなかった。

化学物質と自然界の物質

自然界にある物質は、ちゃんと自分の存在場所を持っている。つまり、どのようにして生まれ、何をして消滅していくのか、そのサイクルが確立していて、その過程が自然界の多様性の中身である。

化学物質には、当然そのようなサイクルはあらかじめ創られているわけではない。人間が高度に発達した文明の力で、特殊な条件（自然界ではできなかったような条件）を作り、その条件の下で合成したのである。特殊な条件の下でしか生成できなかったとすれば、分解するときも特殊な条件が必要になるかもしれないということは大いに考えられることである。現にPCBはそんな物質の代表である。自然界では分解されない。カネミ油症事件の責任で、鐘淵化学が細々と分解処分を続けている。人工的に作った物質でも、自然界に調和的に溶け込めるような物質もあるかもしれない。しかし、それを確認するためには、長期間かけて、考えられる可能な限りの多面的チェックが必要である。原則的には、それが確認できるまでは、人間の作り出したものを、自然界に放出すべきではない。まだ、自然界に仲間であると認めてもらえていないのである。だから、人間の手で厳重に隔離管理しなければならない。その場合、ちゃんと管理しきれるのかどうか問われることになる。人間が創ったとしても、創って一旦自然界に放してやったが最後「手に負えなくなる」ことがあるのである。万能とも言われる自然が、材料（ＰＣＢの場合は、炭素、水素、塩素）がありながら創らなかったことの重みを、もっと考えるべきである。

自然のサイクルを尊重することの大切さとゴミ処理の〝哲学〟

あらゆる環境問題にとって解決のポイントとなるのは、人間の活動を、またはその結果出てきたものを、どのように自然のサイクルに乗せ、それと調和させるかということである。少し話が変わるが、現在広く行われているゴミ処理は、そんな観点から見ればどのように評価できるのであろうか。

何でも焼いてしまうというゴミ処理の方法ほど、自然のサイクルをないがしろにしているものはない。自然のサイクルでは、例えば、炭水化物でも蛋白質でもいろいろな虫や微生物の力を借りながら分解され、大気や土壌の中に戻され、それがまた次の炭水化物や蛋白質を作るときに利用される。そして、一つ一つの分解される過程が、エネルギーを生み出す過程であり、それらの分解作業に関わる生物のエネルギー源となっている。極めて無駄のない、省エネルギーな、クリーンな、そしてそれ自体が多様な自然の営みのかけがえのない一部分となっている。それが自然のゴミ処理方法である。

そもそも自然の中では、ゴミなどというものはないのである。生物の死骸、それはゴミであろうか。そうではない。一つの生命がその寿命を全うした形であり、他の生命に自分が蓄えていたエネルギーを受け渡す方法である。〝ゴミ〟というのは〝終わり〟ということを意味する。自然のサイクルに終わりはないのである。人間は何でも焼いてしまう。終わったから焼くのではなくて、焼くから終わりにしてしまうのである。燃料と労力を使って、公害の原因となる物質を生み出すことにもなる。あの最悪の有害物質ダイオキシンはゴミ焼却からも生成される。

例えば、紙を焼却炉で焼くことの意味は、次のようにも言えるだろう。貴重な燃料を用いて、貴重な生物（木）の生命を犠牲にして作ったもの（紙）を、ただ大気を温めて温室効果ガスである二酸化炭素と水蒸気を放出するだけの役にしか立てないのである。紙として使ったというのは、人間社会の中での役割であり、生態系での役割ではない。

自然のサイクルでは、一つのものが死んで分解される過程は必ず何か他のものを生かす過程である。そんな過程の一つ一つが自然の多様性を構成している。すべての生物が何らかの貢献をし合うことで自然のサイクルは成り立っている。一つの生物の死は次の生物の生命に生かされなければならない。逆に言えば、新たな生命に生かすときにのみ、一つの生命を奪うことも許される。そんな生命のバトンタッチを断ち切っているのが、人間のゴミ処理である。サイクルを大切にすれば、無限の発展の可能性が開ける。サイクルを断ち切れば、切り口のところに〝ゴミ〟が溜まり、行き詰まり、〝終わり〟となる。

自然のサイクルを利用したゴミ処理は、研究すれば、大規模に組織的に展開させることが可能である。それは、真の意味でクリーンであり、ケチケチ節約作戦でなく、それよりもっと効果的な省エネルギーであり、地球を大切にするものである。

調和を目指して、全面的に発達した文明を

話が少しそれかけたので本筋に戻そう。人間が自然界にはない独自の物質循環を開発するときは、自然のサイクルを壊さずに調和していけるのか、「おうかがい」を立てなければならないということを強調していた。人間の活動規模が大きくなればなるほど「おうかがい」は多方面に渡らなければならないし、判断は慎重でなければならない。自然は限りなく底が深く、人間のチェックは一歩一歩である。完璧ということはない。どのようにチェックを重ねても、致命的な欠陥を事前に見抜けない場合がある。そのとき人類全体がどのように素早く効果的な対処をできるか、ということに人類の存亡はかかっている。今、地球に起きている事態に対する対処の仕方は極めて不十分である。

人間の英知、文明は、目先の利益を得るための生産技術や、狭い意味での生産効率を上げるためだけに利用されてはならない。現在そのような傾向が見られるとすれば、それはかなり偏った文明であると言わなければならない。環境問題は文明の発達が原因であるというような議論も一部にはあるが、人類の英知の総和である文明には、地球や自然の仕組みを知り、それを守っていくための科学や知恵も含まれている。全面的に発達した文明を育てていく必要がある。

なぜ、文明の発達が偏ったものになっているのか考えてみる必要がある。それには「なぜ、PCBなどの化学物質の製造がいとも簡単に許可されたのか？」「なぜ、フロンが有害であると警告されてからも、20年近くも生産を伸ばしていたのか？」考えてみれば、答えが見えてくるだろう。

「住民一人一人の責任である」という議論もしばしば耳にする。しかし、私たち住民はPCBなどなかった時代に「十分なチェックなどいらないから、早くPCBのような物質を使いたい」と望んだことはない。フロンがなかった時代に「早くフロンを」と望んだことはない。また「安全性のチェックは後回しでよいから原子力発電政策を大々的に展開してほしい」と望んだこともない。むしろ、国民運動から言えば原発反対の運動のほうが大きかったと思われる。私たちは当然、便利で快適な生活を望んではいるが、それがすぐに実現するために大きなリスクが伴うならば、急いで実現することには何もこだわらない。原発の推進に当たっては、一方で、クリーンで安全なエネルギー源の開発には十分な予算もつけず軽視しておいて、一方では、反対を無視して危険が指摘されている原発の建設を進め、既成事実を作り、「現在、原子力発電は30％以上の割合を占めている。反対を言うなら電気のない生活に我慢できるか」と、脅かしにも似た論法で反対意見を抑えようとしている。国民一人一人に、原発政策についての意見を表明する機会は与えられていないと言ってもよい。国民があずかり知らないうちに原発による電力供給システムが作られ、その電力供給システムから外れては現代的な生活は不可能となっている。そのような消費者にすぎない国民に対して、「国民にも責任がある」ということはとんでもない暴論である。

自然界に持ち込もうとしている人間独自のシステムがあるならば、そのシステムが自然界のシステムと調和するのか否か、時間をかけて多面的に検討し、慎重に判断しなければならない。そして、誤りに気付いたら、いち早くやり直すことが大切である。そのような作業のためにこそ、科学研究の最新の成果を生かすべきであり、そのような営みを繰り返すことで、文明が歪んだ状態から全面的に発達したものに矯正されていくのである。

付録3　経済学の生産力概念と環境問題

『えんとろぴい』第36号／エントロピー学会／１９９６年より

はじめに

マルクスの思想において、経済学の生産力の概念は、社会発展の法則をとらえる鍵である。

「人間は、その社会生活において、……かれらの物質的生産諸力の一定の発展段階に対応する生産諸関係を、とりむすぶ。この生産関係の総体は社会の経済的機構を形づくっており、これが現実の土台となって、そのうえに、法律的、政治的上部構造がそびえたち、また、一定の社会的意識形態は、この現実の土台に対応している。……社会の物質的生産諸力は、その発展がある段階に達すると、いままでそれがそのなかで動いてきた既存の生産関係、あるいはその法的表現にすぎない所有諸関係と矛盾するようになる。……このとき、社会革命の時期がはじまる」［1］

このような、生産力と生産関係の矛盾を社会発展の原動力としてとらえる歴史分析の方法を確立したことはマルクスの偉大な功績である。しかし、すべての歴史をこの理論的枠組みでとらえようとするのには無理があると思われる。特にこの覚書で私が議論したいのは、生産力自身が内包する矛盾を見逃してはならないという点である。

生産力の矛盾に関する従来の分析方法

生産力についてのマルクス自身の記述は、次のようなものである。

「生産力は……与えられた時間内の合目的的生産活動の作用程度を規定する」[2]

「生産力の上昇というのは……より少量の労働により、より大量の使用価値を生産する力を与えるような、労働過程の変化のことである」[3]

「生産力は……特に労働者の技能の平均度、科学とその技術的応用可能性との発展段階、生産過程の社会的結合、生産手段の規模および作用能力によって、さらにまた自然事情によって規定されている」[4]

経済学の定義としては、例えば次のように記述されている。

「単位労働時間に一定の使用価値のどれだけが生産されるのかの度合いをいう。……労働の生産諸力と生産性の発達の程度は、人類の自然征服の程度、社会進歩の程度の基本的尺度である」[5]

「自然を変革し、加工し、財貨を生産するために人間が獲得している諸力を生産力という」[6]

このような「自然の変革・加工能力」というとらえ方から、生産力自身の持っている矛盾を分析する視点が必然的に生まれるわけではない。逆に、生産力自体は無矛盾なものと見なし、その社会的な利用の仕方のみを問題とする立場も生まれ得る。このことの問題性は古くから議論されてきた。本論への入り口として、この点での私見を整理しておきたい。

生産力の矛盾についてマルクスは、次のような重要な指摘をしている。
「科学を……労働から切り離しそれに資本への奉仕を押し付ける大工業……」[7]
「協業者としては……彼ら（労働者）自身はただ資本の一つの特殊な存在様式でしかない。
……労働者が社会的労働者として発揮する生産力は資本の生産力である」[8]

例えば、自然科学を利害関係に関して中立的（無矛盾な）存在と見なすのは、科学の法則を局所的に見ているのである。もちろん、力学や電磁気学の法則、原子核の理論などを個別に見れば、利害などという人間的価値観からの評価を考えることができるはずがない。しかし、個々の自然科学の法則も、科学の全体的進歩の中で発見され位置付けられる。そして、学問体系としての発展の在り方を見た場合、個々の分野の研究の進展状況は、現代では、資本の力に大きく影響される。体系化される過程で既に利用方法に一定の制限が加えられ、体系自身には社会的矛盾が刻み込まれるのである。

資本の生産力、資本の科学だから全面的に否定せよと述べているのではない。
「ブルジョワ社会の胎内で発展しつつある生産諸力は、同時にこの敵対関係の解決のための物質的諸条件をもつくりだす」[9]という認識そのものは誤りでないとしても、その認識が「生産力が高くなった時、各人は能力に応じて働き、必要に応じて受け取るような豊かな社会が可能となる」[10]という展望と結び付き、生産力を無矛盾なものとして、すべて肯定的に見てしまうことがあることを問題にしているのである。

搾取を告発する点では極めて積極的な役割を果しているマルクス主義経済学の著書の中にも、

生産力の矛盾に対して無批判であるものを見ることがしばしばある。例えば、ある教科書では、現代の化学工業は「原料部門の革命」であると賛美される。1千万種を超える人工的化学物質は、自然界の物質循環に与える影響が十分配慮されずに開発された。その結果、地球はプラスチックにあふれ、ＰＣＢ、ダイオキシン、フロンなどの有害物質に汚染された。現代の化学工業は物質循環の攪乱に関して大きな責任を負っている。

またある記述では、どうにも処理しようのない廃棄物を生み出す原子力発電も「新たなエネルギー解放の画期的事業」と評価される。原子力発電の技術の安全性が確立される時代なんて来るのか大いに疑問であるが、少なくとも、現在はまだ実験室から出してはいけない段階である。遺伝子工学に関するひどい記述も見られた。「人間の自然に対する改造力・闘争力はますます強大となり、……おそらくは生物の秘密をすべて解き明かし、人類以上に高度な生物を創造することになるだろう。こうして世界は無限に発展していく」と。

マルクスは生産力を中立的なものと描いていなかったのだから、これらの記述の責任を彼に負わせることはできないし、また、他分野で功績のある方々の部分的記述を、あげ足取り的に批判するのも意味がない。ただ、生産力の中に矛盾を見るという点で、方法論的に未確立であることは指摘されるべきである。私は、人による人の搾取を容認する経済学には一切の期待も持ってはいないという意味で、マルクス主義経済学の発展にこそ大きな期待を抱いている。今後の発展のためにも、生産力という基礎概念の見直しが必要なのではないだろうか。

その意味で、生産力を定義し直す試みがあるのは喜ばしい。

「生産力とは人間の自然制御能力であると言い換えることができる」[11]
「人間が著しく高い自然変革能力をもち、これをさらに高めていったとしても……それは必ずしも人間の存続のための制御能力を高めたことにならない。その高い自然変革能力が自然に及ぼす間接的・長期的効果を無視して用いられたり、人間の存続を確保する方向とは逆の方向に用いられたりするときには、人間の存続のための自然制御能力は低下し、人間の存続は危うくなる。現代の人間が手にしつつある著しく高い自然変革能力が、人間の存続を危うくする方向に用いられるか、それとも人間の存続をより確実にする方向に用いられるかが、現代における最重要な課題である」[12]

ここでは単なる自然変革能力ではなく、人間的価値観を加味して自然制御能力と定義し直されている。全体的主張には賛成であるが、経済学の概念の定義としてそれでよいのかという疑問は残る。つまり、人間の存続に危機がもたらされるならば生産力は低下している、と評価してよいのだろうか。とすれば、地球の基本的システムを根本から破壊し得る物質がこんなに多量に存在している危険な時代は、かつてなく生産力の低い時代であるとしなければならない。それも、現状を反映していない。私たちが無批判的に「生産力」と呼んでいるものの中に混在している自然破壊力を分析する明確な方法論の確立が急がれる。

生産力の矛盾を分析する新しい視点を

強調したいのは、生産力の矛盾を分析する場合、人間社会内部の矛盾としての分析、人間社会全体とその外部の自然との矛盾としての分析、という二つの視点が必要であるという点である。前者は、誰の利益のために誰が組織した生産力か、などという視点である。後者は、人間社会（その中に内部矛盾を持つか否かにかかわらず）が全体として外的自然とどのように相互作用し合っているか、ということを問題にする視点である。両視点は、本来切り離すことも、一方に還元してしまうこともできない。前述したマルクスによる生産力の矛盾についての指摘は、前者の視点からのものである。

すべてのものには、〝相互作用の中で変化する〟という〝存在の仕方〟がある。人間も外的自然と相互作用し、それを改造することなしに生存することはできない。外的自然のシステムに人間独自の物質循環のシステムを持ち込むことは避けられない。この自己の存在を確保するための行為が外的自然を変え、やがて自己の存在の仕方に影響を及ぼす。このような相互作用が、常に全体的な平衡状態を壊さないように、十分ゆったりとした速度で行われるならば、環境問題は起きない。人間が行った部分的な自然破壊が、他の自然界のシステムによって補われ、人間が導入したシステムも自然界のシステムに溶け込み、それも含まれた形で安定状態が作られることが本来の意味での〝調和〟である。人間の生産・消費活動も、この調和を守りながら行われなければならない。例えば、農薬問題やエネルギー浪費の問題と無縁だった頃の日本の水田稲作は、調和を達成していた貴重な一例であったと思われる。

一般に生産力と呼ばれているものの中から、調和を破壊するものを取り除くことが、人間と自然の関係という視点から生産性を分析するということの重要な課題である。ＰＣＢやフロンなどの使用禁止、原子力発電の停止、CO_2の過放出の禁止、森林保護、乱開発の禁止、都市の過密の解消等々、生産力と勘違いされている破壊力のすべての要素が取り除かれなければならない。人間の英知・科学が総動員されて初めて達成される課題であるが、経済学はもちろん、その分析に関心を持たなければならない。例えば、生産手段にもなっていない自然の保護に莫大な費用をかけることを要求したり、採算をある程度無視して調和破壊型技術を調和保全型技術に替えることを経済学が支援しなければならない。

「あらゆる社会の歴史は階級闘争である」という一般理論の枠組みにとらわれ、社会発展のための運動を、生産力と生産関係の矛盾を反映する階級闘争にすべて押し込めるのは一面的である。生産力と矛盾するようになった生産関係の変革、それ自身の中に矛盾を抱えた生産力の変革、という二重の目標を持った運動が必要である。

マルクスは、時代の最も重大な矛盾に立ち向かい、搾取の仕組みの解明という問題に生涯をかけた。その功績は讃えきれないほど大きい。その一方で、自然と人間との矛盾に立ち向かう姿勢が比較して弱かったというのは、彼が生きた時代の制約であり、責めを負うべきことではない。また、次の記述に見られるように、マルクスは当時においても、具体的な問題を一般理論の中に埋没させて満足しているような無責任な立場は取っていなかったように思われる。

「いろいろな産業部門での生産力の発展がそれぞれに違った割合で進むだけでない、しばしば反対の方向をとるということは、単に競争の無政府性やブルジョワ的生産様式の特性だけから生じるのではない。労働の生産性は自然条件にも結びついているが、この自然条件は、生産性（社会的諸条件によって定まる限りでの）が増大するのと同じ割合で生産的でなくなって行くこともよくある。そのために、これらのいろいろな部門で反対運動が起き、こちらでは進歩が、あちらでは退歩が起きるのである。たとえば、あらゆる原料の大部分の量を左右する単なる季節の影響、森林や炭鉱や鉄鉱山の枯渇などを考えてみればよい」［13］

自然の生産性と社会的生産性の区別は、マルクスの経済学の体系全体の中では重要な扱いを受けていないとの批判［14］があるが、ここでは、それが補われるような記述がされている。しかも、森林の破壊などは資本主義の矛盾としてのみ起きるわけではないと述べられているように、階級矛盾とは別のタイプの矛盾についてもマルクスは目を開いていた。

次の記述も、極めて示唆に富むものである。

「農業や製造工業の幼稚未発達な姿にからみついてそれらを結合していた原始的な家族紐帯を引き裂くことは、資本主義的生産様式によって完成される。しかし、同時にまた、この生産様式は、一つの新しい、より高い総合のための、すなわち、農業と工業との対立的につくりあげられた姿を基礎として両者を結合するための、物質的諸前提をもつくりだす。資本主義的生産は……一方では社会の歴史的動力を集積するが、他方では人間と土地との間の物質代謝を攪乱する。すなわち、人間が食糧や衣料の形で消費する土壌成分が土地に帰ることを、つまり土地の豊穣性の持続の永久的自然条件を、攪乱する。……しかし、同時にそれは、かの物質代謝の単に自然発生的に生じた状態を破壊することによって、再びそれを、社会的生産の規制的法則として、また、人間の十分な発展に適合する形態で、体系的に確立することを強制する」［15］

確かに、この記述では物質循環の攪乱も資本主義生産様式のせいにされているし、そのように読めば、〝歴史の原動力を階級矛盾に求める〟という理論の全体的枠組みからはみ出すことのない記述であると見なされる。しかし私は、それ以上の読み方も可能であると考えている。

まず、土地と人間の物質代謝の攪乱は、ここでは、資本主義的生産様式によって引き起こされるとされているが、歴史を見れば、資本主義的な生産様式の下でのみ起きると判断する必要はない。資本主義以前にも土地と人間の間では幾度となく物質代謝の攪乱が起き、文明が発達しては滅んだ［16］［17］。そして焦点は、ここで言う「生産の規制的法則」、「強制」とは何か、ということである。これは階級矛盾に関わるものなのか、階級矛盾に還元できない自然（土地）と人間の間の矛盾に関わるものなのか。

二重の矛盾（人間社会の矛盾と、矛盾を含んだ人間社会と人間以外の自然の矛盾の重なり）として環境問題をとらえる必要［18］を感じている私には、後者の解釈が整合的である。人間の営みの歴史は、自然と人間の間の矛盾を止揚する過程でもあった。それに失敗して滅亡した文明も数多く存在した［16］［17］。人間社会の内部矛盾のみならず、人間社会とその外部の自然との矛盾を解決できずに滅び去った文明の歴史は、階級矛盾にのみ関心を払う歴史分析方法からは説明できない。私には、このマルクスの指摘は、いわゆるマルクス主義と言われる歴史思想の枠組みをはみ出し、それを拡張するヒントとなるものであり、生産関係の変革のみならず、生産力の体系の変革の必要性をも示唆するものであると思われる。

付録3　参考文献

［1］カール・マルクス『経済学批判』序言より　岩波文庫（P13〜14）
［2］カール・マルクス『資本論』1巻　大月書店（P62）
［3］同前（P414）
［4］同前（P54）
［5］『経済学辞典』岩波書店
［6］『社会科学総合辞典』新日本出版社
［7］文献［2］（P474）
［8］文献［2］（P437）
［9］文献［1］（P14）
［10］カール・マルクス『ゴータ綱領批判』国民文庫（P45）
［11］置塩信雄『経済学はいま何を考えているか』大月書店（P23）
［12］同前（P29）
［13］カール・マルクス『資本論』3巻　大月書店（P325）
［14］ハンス・イムラー『経済学は自然をどうとらえてきたか』農村漁村文化協会（P306〜376）
［15］文献［2］（P656）

〔16〕V・G・カーター、T・デール『土と文明』家の光協会
〔17〕安田喜憲『森林の荒廃と文明の盛衰』思索社
〔18〕東道利廣「SD概念をどう評価するか」『日本の科学者』1994・2（P52）

東道 利廣（ひがしみち としひろ）

1952年徳島県美波町（旧日和佐町）で生まれ、京都大学で物理学を学び、大阪府立高校の数学科教員を33年間務める。その間、環境教育学会、環境学会、えんとろぴい学会で活動。退職後、大阪と徳島県（高齢の母と、細々と農業を営む）の二重生活をしている。

著書・論文等

「人はどのように自然とつきあうべきか」（『教育タイムス』第2014、2015、2016号）
「経済学の生産力概念と環境問題」（『えんとろぴい』第36号）
「永続的エネルギーシステムをめざして」（『人間と環境』Vol20 No.1）
「教育を受ける権利から教育をつくる権利へ」（『こみゅんと』No.30 あゆみ出版）
『文化としてのたんぼ』（ダイヤモンド社 共著）
「農業の目で環境問題を見る」（『人間と環境』Vol18 No.2）
「SD（サスティナブルディベロップメント）をどう評価するか」（『日本の科学者』Vol29）
『選挙という非民主主義』（風詠社）

エッセイ
「オニヒトデはどこへ行った」「テントウムシとアブラムシ」など（『環境教育ニュースレター』）

「現代」と「その後」の社会

現代社会の歪みを問い直し、民主主義の成熟で導かれる社会を模索する

2020年11月16日　第1刷発行

著　者　東道利廣
発行人　大杉　剛
発行所　株式会社 風詠社
〒553-0001　大阪市福島区海老江 5-2-2
大拓ビル 5 - 7 階
TEL 06（6136）8657　https://fueisha.com/
発売元　株式会社 星雲社
（共同出版社・流通責任出版社）
〒112-0005　東京都文京区水道 1-3-30
TEL 03（3868）3275
装幀　2DAY
印刷・製本　シナノ印刷株式会社

ISBN978-4-434-28297-3 C0036